FRA

(18

Franz Kafka nasceu em Praga, cidade que na época fazia parte do Império Austro-Húngaro. Filho de judeus, pertencia à minoria da população tcheca que tinha o alemão como língua materna. Iniciou sua carreira literária em 1908, quando publicou no periódico *Hyperion* oito textos em prosa que mais tarde viriam a integrar o volume *Contemplação*. Outras obras importantes publicadas em vida incluem *O veredicto*, *O foguista* (primeiro capítulo do romance póstumo Amerika) e a coletânea de contos *Um médico rural*, além de seu livro mais célebre, *A metamorfose*.

Durante muitos anos (1908-1922), Kafka trabalhou como funcionário público na companhia de seguros *Arbeiter-Unfall-Versicherungsanstalt*, em Praga, onde exerceu funções relacionadas a estatística, advocacia e elaboração de documentos técnicos. Foi um dos poucos intelectuais de sua época a conhecer de perto as reais condições de trabalho nas fábricas.

Embora tenha noivado duas vezes, Kafka jamais se casou. O difícil relacionamento que mantinha com o pai também foi motivo de muitas atribulações em sua vida afetiva.

Sempre muito crítico em relação a seus escritos, Kafka declarou certa vez que, de tudo o que havia escrito, apenas cinco livros e um conto tinham qualquer valor. Duas destas obras eram *Um artista da fome* e *Na colônia penal*.

Kafka pretendia publicar *Na colônia penal*, escrito em 1914, junto com *A metamorfose* e *O veredicto* em um volume único, intitulado *Strafen* ("Castigos"). A ideia, no entanto, foi rejeitada por seu editor, e assim o livro só apareceu em 1919, embora Kafka já tivesse feito uma leitura pública da obra em Munique três anos antes.

As quatro histórias que compõem *Um artista da fome* foram escritas em 1922-1924 e publicadas em diversos periódicos da época. O conto "Josefine, a cantora" foi a última obra em que Kafka trabalhou antes de sua morte prematura, aos 40 anos, vítima da tuberculose.

Ao morrer, deixou muitos escritos inéditos e inacabados. Max Brod, amigo e testamenteiro do autor, recebeu de Kafka – que ansiava pelo esquecimento total de sua obra – a incumbência de destruir todos os seus manuscritos. Incapaz de levar a cabo o desejo do amigo, a quem considerava "o maior poeta de nosso tempo" antes mesmo que Kafka fosse publicado, Brod preferiu dedicar-se à publicação de obras póstumas como *Carta ao pai*, *O processo*, *O castelo* e *Amerika*, entre muitas outras.

Livros do autor publicados pela **L&PM** EDITORES:

Um artista da fome seguido de *Na colônia penal & outras histórias*
Carta ao pai
A metamorfose seguido de *O veredicto*
O processo
Kafka – Série Ouro (*O veredicto; A metamorfose; Na colônia penal; O processo; Primeira dor; Um artista da fome; Uma pequena mulher; Josefine, a cantora ou O povo dos ratos; Carta ao pai*)
Kafka – Obras escolhidas (*A metamorfose; O processo; Carta ao pai*)

Leia também:

A metamorfose (MANGÁ)
Kafka (Série BIOGRAFIAS) – Gérard-Georges Lemaire
O esplendor da vida: o último amor de Kafka – Michael Kumpfmüller (romance)

FRANZ KAFKA

A METAMORFOSE

SEGUIDO DE

O VEREDICTO

EDIÇÃO COMENTADA

Tradução, organização, prefácio e notas de

MARCELO BACKES

www.lpm.com.br

L&PM POCKET

Coleção **L&PM** POCKET, vol. 242

Texto de acordo com a nova ortografia.

Título dos originais alemães: *Die Verwandlung*; *Das Urteil*
Edição baseada nas obras de Kafka publicadas pela S. Fischer Verlag, com organização de Max Brod.

Primeira edição na Coleção **L&PM** POCKET: agosto de 2001
Esta reimpressão: fevereiro de 2025

Tradução: Marcelo Backes
Revisão: Jó Saldanha
Capa: Ivan Pinheiro Machado

ISBN 978-85-254-1046-7

K11m

Kafka, Franz, 1883-1924.

A metamorfose /e / O veredicto / Franz Kafka; tradução de Marcelo Backes. – Porto Alegre: L&PM, 2025.
144 p.; 18 cm. (Coleção L&PM POCKET; v. 242)

1. Ficção alemã-Romances. I. Título. II. T. O veredicto. III. Série.

CDD 833
CDU 830-3

Catalogação elaborada por Izabel A. Merlo, CRB 10/329.

Rua Comendador Coruja, 314, loja 9 – Floresta – 90.220-180
Porto Alegre – RS – Brasil / Fone: 51.3225.5777

Pedidos & Depto. Comercial: vendas@lpm.com.br
Fale conosco: info@lpm.com.br
www.lpm.com.br

Impresso no Brasil
Verão de 2025

Sumário

Prefácio

Marcelo Backes

Franz Kafka (1883-1924) é um dos maiores escritores de todos os tempos. Não há lista de romance universal em que não figure *O processo,* assim como não há lista de novela em que não apareça *A metamorfose*. Sua obra é tão importante que Heinz Politzer, um dos mais conhecidos comentaristas de Kafka, chegou a escrever: "Depois da metamorfose de Gregor Samsa, o mundo onde nos movimentamos tornou-se outro".

Em 10 de setembro de 1912, às dez horas da noite, Kafka começou a escrever *O veredicto*. Quando terminou, por volta das seis horas da manhã do dia seguinte, totalmente esgotado, sem conseguir tirar as pernas de sob a escrivaninha, apontou em seu diário que havia descoberto "como tudo poderia ser dito"; que inclusive para as ideias mais estranhas havia um grande fogo pronto, no qual elas se consumiam para depois ressuscitarem.

Dois meses depois viria *A metamorfose,* a mais conhecida, a mais citada, a mais estudada de suas obras. Em 7 de dezembro Kafka escrevia à sua noiva, Felice Bauer: "Minha pequena história está terminada". A obra era concluída 20 dias depois de ter sido iniciada.

A metamorfose e *O veredicto* (cada uma com duas edições) viriam a ser duas das três únicas obras de Kafka reeditadas ainda em vida do autor. *O foguista,* que depois passaria a integrar o romance *América*, teria três edições. Embora tenha descoberto seu caminho de escritor já em 1912, Kafka jamais chegou a alcançar fama enquanto vivo. Ainda que tivesse escritores do calibre de Robert Musil entre os apreciadores e incentivadores de sua obra e mesmo tendo recebido, em 1915, o Prêmio Fontane de Literatura Alemã – um dos mais importantes da época –, Kafka morreu sem saber que seria eterno.

Kafka chegou a participar da comunidade judaica, até de manifestações socialistas, mas foi sempre um solitário. Apesar de quatro noivados, apesar de um punhado de amigos – um deles tão fiel que foi incapaz de cumprir seu derradeiro pedido: Max Brod a quem o mundo deve a publicação d'*O processo* e d'*O castelo*, entre outras obras – Kafka foi avesso à convivência. Embora tenha morado boa parte da vida com sua família, o autor sempre viveu sozinho. Kafka não era nada e era tudo ao mesmo tempo. Era judeu, escrevia em alemão, nascera na Boêmia e devia submissão ao Império Austro-Húngaro. E nessa terra de ninguém, fechado dentro de si mesmo, Kafka se tornou um dos mais importantes escritores do século XX.

A obra de Kafka já foi analisada por todas as suas facetas, e o volume de sua fortuna crítica encheria bibliotecas inteiras. O desespero do homem moderno em relação à existência, a eterna busca de algo que não está mais à disposição, a pergunta por aquilo que não tem resposta são as características mais marcantes de sua obra. Seus personagens são vítimas de um enigma insolucionável – a própria vida. Com sua obra, Kafka escreve o evangelho da perda, assinala o fim da picada. Ele é o escritor do lusco-fusco, o poeta da penumbra, a literatura em seu próprio crepúsculo.

O realismo de Kafka é mágico, mas sóbrio ao mesmo tempo; seu humor às vezes é grotesco, outras vezes irônico, mas no fundo sempre carregado de seriedade. Sua prosa é dura, seca e despojada. Kafka reduz a riqueza da língua alemã a trezentas palavras, e mesmo assim é um dos maiores estilistas da prosa alemã. O que Kafka escreve é ele mesmo, o ser em si. Sua literatura é seu "eu" feito letra; seu estilo é marcante, embora uma de suas maiores características seja a impessoalidade. É como se o autor não necessitasse da muleta do estilo – em seu aspecto subjetivo – para fazer brotar seu eu, sua individualidade. Kafka não trata de ânimos ou ambientes, nem de experiências ou psicologias. Ele fala do fundamento da existência em si, do qual a parábola é o melhor modelo. Num dos fragmentos de seus *Diários* está escrito: "Escrever como forma de oração", e Kafka fez de sua arte sua reza.

Georg Lukács, em sua crítica reduzidamente marxista, viu em Kafka apenas a decadência tardia do mundo burguês. Theodor Adorno, marxista tardio, teórico da Escola de Frankfurt, disse: "Os protocolos herméticos de Kafka contêm a gênese social da esquizofrenia" e assinalou em Kafka a essência do mundo moderno. Sigmund Freud se perguntava:

"Será Kafka um *Homo religiosus* ou alguém que com seus 'veredictos' toma nas mãos a vingança contra Deus e contra seu mundo desfigurado pelos homens?" O pai da psicanálise referia-se à obra *O veredicto,* e logo depois dela viria *A metamorfose*, apresentando a mesma situação, aparentada em índole e conteúdo; fruto da mesma época, produto da mesma safra.

Kafka planejava reunir *O veredicto, A metamorfose* e *O foguista* numa obra chamada *Filhos (Söhne)*. Mais tarde pensou em pôr *O veredicto, A metamorfose* e *Na colônia penal* num mesmo livro, intitulado *Punições (Strafen)*. Nunca veio a realizar seus intuitos, mas tanto "punições" quanto "filhos" são palavras sintéticas – exatamente conforme Kafka as apreciava nos títulos – para definir um pouco do muito que as duas obras deste volume têm em comum.

"O poeta tem a tarefa de levar aquilo que é mortal e isolado à vida infinita, o acaso ao legítimo. Ele tem uma tarefa profética." Mas essa tarefa profética, Kafka não a via como um presente dos céus, mas como uma ordem do inferno. "Tudo o que não é literatura me aborrece, e eu odeio até mesmo as conversações sobre literatura." À leitura, pois.

A METAMORFOSE

I

Certa manhã, ao despertar de sonhos intranquilos, Gregor Samsa encontrou-se em sua cama metamorfoseado num inseto monstruoso[1]. Estava deitado sobre suas costas duras como couraça e, quando levantou um pouco a cabeça, viu seu ventre abaulado, marrom, dividido em segmentos arqueados, sobre o qual a coberta, prestes a deslizar de vez, apenas se mantinha com dificuldade. Suas muitas pernas, lamentavelmente finas em comparação com o volume do resto de seu corpo, vibravam desamparadas ante seus olhos.

"O que terá acontecido comigo?", ele pensou. Não era um sonho. Seu quarto, um quarto humano[2]

1. N'*O processo*, Kafka diria: "O instante do despertar é o instante mais perigoso do dia". Ademais, em várias de suas cartas a Felice o autor refere o fato de se sentir completamente estranho ao acordar pela manhã. Em seus *Diários*, Kafka faz várias referências no sentido de que "O animal está mais próximo de nós do que o homem", por exemplo. (N.T.)

2. O narrador utiliza a forma "quarto humano" do mesmo jeito que se utiliza a forma corrente "quarto de criança" e certamente em oposição ao presente aspecto animal de Gregor. Com a expressão taxativa: "Não era um sonho" – que é tanto mais taxativa na medida em que a frase normal de Kafka é extensíssima, cheia de subordinações, vírgulas e partículas conectivas – o narrador pretende arrancar, desde logo, o aspecto onírico da situação. (N.T.)

direito, apenas um pouco pequeno demais, encontrava-se silencioso entre as quatro paredes bem conhecidas. Sobre a mesa, na qual se espalhava, desempacotada, uma coleção de amostras de tecido – Samsa era caixeiro-viajante –, estava a imagem que ele havia recortado havia pouco de uma revista ilustrada e posto numa moldura bonita e dourada. Ela mostrava uma dama que, escondida num chapéu de pele e numa estola de pele, sentava ereta e levantava aos espectadores um regalo[3] também de pele, dentro do qual sumia todo seu antebraço.

O olhar de Gregor dirigiu-se então para a janela, e o tempo nublado – ouviam-se os pingos da chuva baterem sobre a calha da janela – deixou-o bastante melancólico. "Que tal se eu seguisse dormindo mais um pouco e esquecesse de toda essa bobajada",[4] pensou; mas isso era totalmente irrealizável, uma vez que estava habituado a dormir sobre o lado direito e em seu estado atual não conseguia se colocar nessa posição. Por mais força que fizesse na tentativa de se jogar para o lado direito, balançava voltando sempre a ficar na posição de costas. Deve ter tentado fazê-lo cerca de cem vezes; fechou os olhos a fim de não

---

3. Regalo, aqui, no sentido de luva que possui apenas duas divisões, uma para o polegar, outra para o resto dos dedos. Em geral é feita de pele e muito usada nos países frios. (N.T.)

4. Tentativa "racionalizante" de fuga à realidade – que logo é refutada por um dado concreto – típica das histórias do gênero e já manifestada, entre outros, pelo personagem Goliádkin, de *O duplo,* de Dostoiévski, narrativa com a qual *A metamorfose* guarda grandes semelhanças, sobretudo no início. Outras narrativas que poderiam ter influenciado Kafka, e que comprovadamente ele leu antes de escrever *A metamorfose*, são *O capote* e *O nariz,* de Gogol. (N.T.)

precisar ver mais suas pernas se debatendo, e apenas desistiu quando passou a sentir no lado uma dor leve e sombria, que jamais havia sentido.

"Oh, Deus", pensou ele, "que profissão extenuante[5] que fui escolher! Entra dia, sai dia, e eu sempre de viagem. As agitações do negócio são muito maiores do que propriamente o trabalho em casa, e ainda por cima impuseram sobre mim essa praga de ter de viajar, os cuidados com as conexões de trem, a comida ruim e desregulada, contatos humanos sempre cambiantes, que nunca serão duradouros e jamais afetuosos. Que o diabo leve tudo isso!" Sentiu um leve comichão acima, sobre o ventre, deslocou-se devagar sobre as costas, aproximando-se da guarda da cama, a fim de poder levantar melhor a cabeça; encontrou o lugar que comichava; ele mostrava-se tomado por uma série de pontinhos brancos e pequenos, que ele não logrou avaliar donde vinham; quis tocar o local com uma das pernas, mas logo puxou-a de volta, pois o contato lhe dava calafrios.

Deslizou até voltar à sua posição anterior. "Esse acordar cedo", pensou ele, "faz a gente ficar meio abobado. O homem tem de ter seu sono. Outros viajantes vivem como mulheres de harém. Quando eu, por exemplo, volto ao hotel pouco antes do meio-

---

5. Outra afinidade entre Kafka e Samsa, nomes que aliás correm paralelos e poderiam ser referidos como criptogramas. Kafka negou o fato dizendo que Samsa não era, de todo, Kafka: "*A metamorfose* não é uma confissão, ainda que – em certo sentido – seja uma indiscrição", ele disse. (*Conversações de Gustav Janouch com Kafka*, 1920-1923). Mais tarde Kafka comentaria que havia falado "dos percevejos de sua família" na obra. (N.T.)

dia, a fim de transcrever as encomendas feitas, esses senhores recém estão tomando seu café. Queria ver se eu tentasse proceder assim com meu chefe; iria para a rua na mesma hora. Aliás, quem sabe se isso não seria bom para mim. Se eu não me contivesse por causa de meus pais, já teria pedido as contas há tempo; teria me apresentado ao chefe e lhe exposto direitinho o que penso, do fundo do meu coração. Ele teria de cair da escrivaninha! É um jeito bem peculiar o dele, de sentar-se sobre a escrivaninha e falar do alto a baixo com seu empregado, que além do mais tem de se aproximar bastante por causa das dificuldades auditivas do chefe. Bem, a esperança ainda não está de todo perdida; quando eu tiver juntado o dinheiro a fim de quitar a dívida de meus pais com ele – acho que isso demorará ainda uns cinco ou seis anos –, eu encaminho a coisa sem falta. Aí então terá sido feito o grande corte.[6] Por enquanto, em todo caso, tenho de levantar, pois meu trem sai às cinco."

E olhou até onde estava o despertador, que tiquetaqueava sobre o armário. "Pai do céu!", pensou. Eram seis e meia e os ponteiros seguiam adiante, tranquilos; na verdade o maior até já passara da meia hora e se aproximava dos três quartos. Será que o despertador não havia tocado?[7] Podia-se ver da cama que ele havia sido programado direitinho para

---

6. Kafka usa de fato o termo "corte" como se só uma secção ativa (semelhante a do cordão umbilical) pudesse afastar Gregor do emprego que ele tanto odiava, mas ao qual se sentia tão preso. (N.T.)

7. Indício – agora claro – de que o narrador conta a história do ponto de vista de Gregor. (N.T.)

as quatro horas; e com certeza havia tocado. Sim, mas terá sido possível prosseguir no sono com seu clangor, que chegava a fazer os móveis tremerem?[8] Bem, tranquilo com certeza não se pode dizer que ele dormira, mas é provável que o sono tenha sido tanto mais pesado por causa disso. Mas o que deveria fazer agora? O próximo trem saía às sete horas; para conseguir pegá-lo teria de se apressar como louco, e o mostruário ainda não havia sido empacotado; ele mesmo não se sentia nem um pouco disposto e ágil. E ainda que conseguisse pegar o trem, uma trovoada do chefe já não poderia mais ser evitada, pois o contínuo da firma havia esperado por ele no trem das cinco e o anúncio de sua falta já devia ter sido relatado há tempo. O contínuo era uma criatura do chefe, sem espinha dorsal nem juízo. E que tal se ele dissesse que estava doente? Mas isso seria constrangedor ao extremo e pareceria suspeito, pois Gregor não ficara doente sequer uma única vez durante seus cinco anos de serviço. Com certeza o chefe iria chegar com o médico do convênio de saúde, haveria de fazer acusações aos pais por causa de seu filho preguiçoso e cortar todas as objeções apoiado no parecer do médico, para o qual, além de tudo, pareciam existir apenas pessoas completamente saudáveis no mundo, que às vezes mostravam não gostar de trabalhar. E, aliás, estaria o médico de todo errado nesse caso? Gregor sentiu-se de fato – não contada uma sonolência supérflua, advinda do

8. O exagero é próprio do estilo – impessoal – de Kafka e se adapta às sensações de Gregor. O mesmo acontece com a trovoada do chefe, a seguir. (N.T.)

excesso de sono – bastante bem e estava, inclusive, com uma fome bastante grande.

Depois de ter refletido acerca de tudo isso às pressas, sem conseguir se decidir a deixar sua cama – o despertador acabara de anunciar quinze para as sete –, bateram com cautela à porta, na cabeceira de sua cama.

– Gregor – alguém chamou; era sua mãe –, já são quinze para as sete. Não querias ter partido a essa hora? – A voz suave! Gregor assustou-se quando ouviu sua voz respondendo; e era inconfundivelmente a mesma voz de antes, mas a ela misturava-se, como se vindo de baixo, um ciciar doloroso, impossível de evitar, que só no primeiro momento mantinha a clareza anterior das palavras, para destruir seu som de tal forma quando acabavam por sair, a ponto de fazer com que não se soubesse ao certo se havia ouvido direito. Gregor quis responder em detalhes e esclarecer tudo, mas limitou-se, dadas as condições, a dizer:

– Sim, sim, obrigado, mãe, já vou me levantar.

Por causa da porta de madeira, a mudança na voz de Gregor por certo não foi percebida lá fora, pois sua mãe tranquilizou-se com a explicação e se afastou, arrastando as chinelas. Devido à troca de palavras, contudo, os outros membros da família ficaram cientes de que Gregor, ao contrário do que esperavam, estava em casa, e o pai já batia numa das portas laterais, fraco, mas com o punho:[9]

9. Gregor opõe, desde logo, a suavidade da mãe à brutalidade do pai. (N.T.)

– Gregor, Gregor – ele chamou –, o que está acontecendo? – Depois de alguns instantes advertiu mais uma vez em voz mais grave:

– Gregor! Gregor!

Na outra porta lateral, entretanto, a irmã lamentava em voz baixa:

– Gregor? Não estás bem? Precisas de algo?

Gregor respondeu em ambas as direções:

– Já estou pronto – e esforçou-se para, tomando o maior cuidado na pronúncia e fazendo longas pausas entre as palavras, evitar que sua voz chamasse a atenção. O pai, em todo caso, voltou ao café da manhã, mas a irmã sussurrou:

– Gregor, abra a porta, eu te imploro.

Gregor, todavia, nem cogitava abrir a porta; louvou, muito antes, a precaução adotada através do hábito de viajar, que o fazia deixar trancadas, também em casa, todas as portas durante a noite.[10] Antes de mais nada queria levantar com calma e sem ser perturbado, vestir-se e, sobretudo, tomar o café da manhã, e só aí pensar no que haveria de fazer, pois, isso ele percebia bem, na cama não chegaria a nenhuma solução razoável com suas reflexões. Recordou-se de ter sentido já em outras oportunidades alguma dorzinha leve, advinda talvez de uma posição desajeitada na cama, que depois, assim que

---

10. O quarto de Gregor é o centro – arquitetônico e narrativo – da casa. Ele aparece cercado por sua família. De um dos lados fica o quarto da irmã, de outro, o dos pais, e de outro, ainda, a sala de estar. E há portas para todos os aposentos, que ele lembra de ter trancado, garantindo – paradoxalmente – sua liberdade e seu isolamento. O quarto de Kafka, na Niklasstrasse, 36, em Praga, era semelhante ao de seu personagem. (N.T.)

ele se punha de pé, mostrava ser apenas imaginação; e estava curioso para ver como suas ilusões de hoje se dissipariam aos poucos depois que levantasse. Que a mudança na voz era apenas a imposição de um belo resfriado – a doença profissional dos viajantes –, ele tinha a mais absoluta das certezas.

Jogar a coberta para o lado foi bem simples; ele precisou apenas inspirar um pouco e ela caiu sozinha. Mas os passos seguintes se mostraram difíceis, sobretudo porque ele estava incomumente largo. Teria necessitado fazer uso dos braços e das pernas, a fim de se levantar; ao invés delas, no entanto, ele possuía apenas várias perninhas, que se movimentavam sem parar em todas as direções e que ele, além de tudo, não conseguia dominar. Quando queria dobrar uma delas, a mesma era a primeira a se esticar; quando enfim lograva fazer o que intencionava com a referida perna, todas as outras trabalhavam, como se fossem livres, na maior e mais dolorosa das agitações. "Apenas não ficar debalde na cama", disse Gregor a si mesmo.

Primeiro quis sair da cama com a parte inferior de seu corpo, mas essa parte inferior, que ele aliás ainda não havia visto e a respeito da qual sequer conseguia ter uma ideia um pouco mais precisa, mostrou-se demasiado difícil de ser movimentada; a coisa ia bem devagar; e quando ele, enfim, de um modo quase selvagem e juntando todas as suas forças, jogou-se à frente sem tomar precauções, acabou escolhendo a direção errada e bateu com violência aos pés da cama; a dor ardente que sentiu ensinou-lhe que justamente a parte inferior de seu corpo de momento talvez fosse a mais sensível.

Por causa disso tentou tirar da cama primeiro a parte superior de seu corpo e virou a cabeça com cautela em direção à beira do leito. Conseguiu fazê-lo com facilidade, e apesar de sua largura e de seu peso, sua massa corporal acabava seguindo os movimentos da cabeça. Mas quando enfim segurava a cabeça para fora da cama, ao ar livre, teve medo de seguir indo adiante desse jeito, pois se acabasse por deixar-se cair ao chão dessa maneira, teria de acontecer um milagre para que a cabeça não resultasse machucada. E ele não poderia perder os sentidos justo agora, a nenhum preço; melhor seria ficar na cama.

Porém quando – depois de passar pelas mesmas dificuldades – voltou a estar, suspirando, na mesma posição de antes, tornando a ver suas perninhas se moverem e lutarem umas contra as outras, talvez ainda mais nervosas do que antes, não encontrando possibilidade de botar ordem e tranquilidade nessa arbitrariedade, tornou a dizer para si mesmo que era impossível continuar na cama e que o mais racional seria sacrificar tudo – ainda que a esperança que restasse fosse mínima – para enfim se livrar da cama. Mas ao mesmo tempo não deixou de lembrar de vez em quando, no intervalo dos movimentos, que reflexões calmas, inclusive as mais calmas, ainda são melhores do que decisões desesperadas. Em tais momentos, direcionava os olhos de modo tão afiado quanto possível à janela, mas lamentavelmente havia pouca confiança e vivacidade a tomar da visão da neblina matinal, que chegava a esconder o outro lado da ruela estreita. “Já sete horas”, disse a si mesmo ao ouvir o despertador bater de novo, “já sete horas e ainda uma neblina dessas”. E por um momentinho permaneceu deitado quieto, respirando bem fraco, como se esperasse do silêncio total a volta das circunstâncias reais e naturais.

Então, porém, disse a si mesmo: “Antes de soar sete e quinze, tenho de ter deixado a cama por completo e sem falta. Ademais, até lá já terá vindo alguém da firma para perguntar por mim, porque a firma é aberta antes das sete horas”. E pôs-se no serviço de balançar seu corpo em todo seu comprimento, de modo regular, até conseguir tirá-lo por completo da cama. Caso ele se deixasse cair da cama desse jeito, a cabeça, que ele pretendia erguer o máximo possível durante a queda, a princípio não seria machucada. As costas pareciam ser bastante duras; a elas, ao que tudo indica, não aconteceria nada na queda sobre o tapete. O que lhe causava o maior receio era o estrondo alto que a queda teria de causar, que provavelmente seria ouvido atrás de todas as portas e haveria de provocar, se não susto, pelo menos preocupação. Mas isso era preciso arriscar.

Quando Gregor alcançara se deslocar pela metade para fora da cama – o novo método era mais um jogo do que um esforço, ele precisava apenas se balançar de ré –, ocorreu-lhe como tudo seria mais fácil se alguém viesse em sua ajuda. Duas pessoas fortes – pensou em seu pai e na empregada – seriam suficientes; eles apenas precisariam enfiar seus braços sob suas costas abauladas, para assim afastá-lo da cama, depois disso se curvar à carga e aí era só esperar com paciência e cautela que ele completasse o salto até o piso, onde as perninhas talvez adquirissem enfim um sentido. Bem, desconsiderando por completo o fato de que as portas estavam trancadas, deveria mesmo chamar por ajuda? Apesar de toda a sua penúria, não pôde reprimir um sorriso ao pensar nisso.[11]

Já tinha alcançado um ponto a partir do qual, com uma balançada mais forte, seria difícil de manter o equilíbrio, e bem logo teria de enfim se decidir, pois em cinco minutos seriam sete e quinze – quando soou a campainha na porta de entrada. "É alguém da firma", disse a si mesmo e quase ficou paralisado, ao passo que suas perninhas dançaram tanto mais rápido. Por um momento ficou tudo em silêncio. "Eles não abrem", disse Gregor a si mesmo, tomado por uma esperança absurda qualquer. Mas então, como sempre acontecia, a empregada foi em passos firmes e com a maior naturalidade até a porta e abriu. Gregor precisou apenas ouvir a primeira palavra de saudação do visitante e já sabia quem era – o gerente em pessoa. Por que apenas Gregor era condenado a trabalhar numa firma na qual, pela menor das omissões, levantava-se logo a maior das suspeitas? Será que todos os funcionários, sem tirar nem pôr

11. Expressão factual do caráter irônico da situação. Gregor sabe da intensa dificuldade em que se encontra, tem os familiares ali, à mão, mas não pode pedir a ajuda deles. A situação é constante na obra de Kafka. (N.T.)

nenhum, eram vagabundos? Não havia entre eles nenhum homem leal e dedicado que, embora deixando de aproveitar algumas horas da manhã em favor da firma, tenha ficado louco de remorso e francamente incapaz de abandonar a cama? Será que não bastava mandar um estagiário perguntar – se é que essa perguntação era mesmo necessária –, será que o gerente tinha de vir em pessoa e mostrar através disso a toda a família inocente que a investigação desse assunto suspeito só podia ser confiada ao entendimento do gerente? E mais devido à irritação em que Gregor fora levado por causa dessas considerações do que devido a uma decisão em si, ele se atirou com toda a força para fora da cama. Houve uma pancada alta, mas não propriamente um estrondo. A queda foi amainada um pouco por causa do tapete e as costas também eram mais elásticas do que Gregor havia pensado que fossem; daí o ruído surdo, nem tão chamativo. Apenas não havia segurado a cabeça com precaução suficiente e acabara batendo-a; virou-a e esfregou-a no tapete, sentindo raiva e dor.

– Alguma coisa caiu ali dentro – disse o gerente no aposento contíguo que ficava ao lado esquerdo. Gregor procurou imaginar se também ao gerente não poderia ter acontecido alguma vez uma coisa como aquela que acontecera hoje com ele; a possibilidade de fato tinha de ser admitida.[12] Mas como se fosse uma resposta crua a essa pergunta, o gerente agora

12. Outro rasgo irônico que reflete, ao mesmo tempo, o desejo do impotente, do dominado, que só consegue neutralizar sua impotência através do ato de imaginar a mesma impotência no dominador. O pensamento é refutado imediatamente pelos fatos. (N.T.)

dava alguns passos determinados no aposento ao lado, fazendo ranger suas botas de verniz.[13] Do aposento contíguo à direita, a irmã sussurrou a fim de informar a Gregor:

– Gregor, o gerente está aqui.

– Sim, eu sei – disse Gregor baixinho; mas não ousou levantar a voz a uma altura que a irmã pudesse ouvi-lo.

– Gregor – dizia agora seu pai, do aposento ao lado esquerdo –, o senhor gerente chegou e quer se informar porque tu não não foste com o trem das cinco. Nós não sabemos o que podemos dizer a ele. Aliás, ele quer falar contigo pessoalmente. Portanto, faça o favor de abrir a porta. Ele haverá de ter a bondade de desculpar a desordem do quarto.

– Bom dia, Senhor Samsa – interrompeu o gerente, de modo amável.

– Ele não está se sentindo bem – disse a mãe ao gerente, enquanto o pai continuava a falar na porta. – Ele não está se sentindo bem, acreditai em mim, senhor gerente. Pois caso contrário não perderia o trem! O rapaz não tem outra coisa na cabeça a não ser a firma. Eu até quase me irrito porque ele não sai nunca à noite; há pouco mesmo ele esteve oito dias na cidade, mas à noite voltava sempre para casa. Aí então fica sentado conosco à mesa e lê o jornal em silêncio ou estuda planos de viagem, analisando horários de trem. Até já é uma distração para ele quando se ocupa de trabalhos de carpintaria. Há dias, por

---

13. Símbolo do poder, largamente utilizado por Kafka e já insinuado, em situação semelhante, em *O duplo,* de Dostoiévski. (N.T.)

exemplo, em duas ou três noites entalhou uma pequena moldura; o senhor ficará surpreendido, senhor gerente, ao ver como ela é bonita; está pendurada lá dentro, no quarto; logo o senhor haverá de vê-la, quando Gregor abrir.[14] Eu, para dizer a verdade, estou feliz de vê-lo aqui, senhor gerente; nós sozinhos jamais conseguiríamos levar Gregor a abrir a porta; ele é tão cabeça-dura; e com certeza não está bem, embora o tenha negado pela manhã.

– Eu já vou – disse Gregor, em voz baixa e reflexiva, sem se mover para não perder nenhuma palavra da conversa.

– De outra maneira, minha senhora – disse o gerente –, eu também não conseguiria entendê-lo. Espero que não seja nada grave. Embora por outro lado eu seja obrigado a dizer que nós, homens de negócios, feliz ou infelizmente, conforme se quiser, necessitamos muitas vezes, devido a considerações de ordem comercial, simplesmente passar por cima de um leve mal-estar.

– Pois bem, o senhor gerente já pode entrar em teu quarto? – perguntou o pai impaciente, voltando a bater na porta.

– Não – disse Gregor.

No aposento ao lado esquerdo sobreveio um silêncio penoso, no aposento ao lado direito a irmã começou a soluçar.

---

14. Gregor é defendido através das ocupações "inofensivas" que lhe são imputadas. Na verdade, elas nem são tão inofensivas assim, embora algo infantis: a moldura foi usada para fixar um retrato de mulher cortado a uma revista. Ainda que Gregor seja o provedor da família, é chamado de "rapaz", o que lhe concede um caráter nitidamente imaturo. (N.T.)

Por que a irmã não ia enfim até onde os outros estavam? É que ela acabava de levantar da cama e sequer começara a vestir-se. Mas por que ela chorava, então? Por que ele não levantava e não deixava o gerente entrar? Por que ele estava a perigo de perder seu emprego e por que aí o chefe voltaria a perseguir os pais com as velhas exigências? Mas essas eram, pelo menos por enquanto, preocupações desnecessárias. Gregor ainda estava ali e não cogitava o mínimo que fosse deixar sua família. É claro que no momento estava deitado sobre o tapete e ninguém que tivesse conhecido sua situação seria capaz de lhe pedir a sério que deixasse o gerente entrar. Mas por causa dessa pequena indelicadeza,[15] para a qual mais tarde com certeza acharia uma desculpa adequada, Gregor não poderia ser mandado embora assim no mais, de pronto. E a Gregor parecia ser muito mais racional que por agora o deixassem em paz, ao invés de perturbá-lo com choro e exortações. Mas era exatamente a incerteza que pressionava os outros desculpando seu comportamento.

– Senhor Samsa – chamava agora o gerente, erguendo a voz –, o que é que está acontecendo? O senhor se esconde na barricada de seu quarto, responde apenas com sins e nãos, acomete seus pais com preocupações desnecessárias e pesadas e deixa de

15. Aqui o humor atinge as fronteiras do grotesco e sinaliza para a disparidade entre a ordem natural das coisas e o mundo em que Gregor vive. Fosse a situação normal, o ato de não abrir a porta seria muito mais do que uma "pequena indelicadeza"; dada a situação ele é muito menos do que uma "indelicadeza", é uma impossibilidade. (N.T.)

lado – e menciono isso apenas de passagem – suas obrigações na firma de uma maneira que só posso creditar como inaudita. Eu falo aqui em nome de seus pais e de seu chefe e peço-lhe, com toda a seriedade, uma explicação clara e imediata. Estou perplexo, sim, estou perplexo. Acreditava que o senhor fosse um homem tranquilo e razoável, e eis que de repente parece querer começar a mostrar caprichos dos mais estranhos. O chefe até insinuou uma possível explicação para sua omissão, hoje pela manhã – e ela tinha a ver com os pagamentos à vista que lhe foram confiados há poucos dias –, mas eu, de verdade, quase empenhei minha palavra de honra no sentido de que essa explicação não poderia ser correta. Mas eis que agora vejo sua incompreensível teimosia e perco toda e qualquer espécie de vontade de me bater, o mais mínimo que seja, pelo senhor. E seu emprego não é, de maneira nenhuma, o mais garantido. No princípio, tinha a intenção de lhe dizer tudo isso a sós, mas uma vez que o senhor parece nem se importar com o fato de que eu esteja aqui perdendo o meu tempo, não sei mais por que seus pais também não deveriam ficar sabendo de tudo. Seu desempenho nos últimos tempos tem sido bastante insatisfatório; embora não estejamos na temporada de fazer grandes negócios, e isso nós reconhecemos, uma temporada em que não se fecha nenhum negócio não existe, senhor Samsa, não pode existir.

– Mas, senhor gerente – gritou Samsa fora de si e esquecendo-se de tudo em sua agitação –, eu vou abrir logo, num instante. Um leve mal-estar, um ataque de vertigem, me impediram de levantar. Agora ainda estou deitado na cama. Mas já estou completamente recuperado de novo. Acabo de levantar da cama. Só um momentinho de paciência! Ainda não estou tão bem quanto pensava estar. Mas, de qualquer forma, já me sinto bem melhor. Como é que uma coisa dessas ataca assim um homem! Ontem à noite, ainda, eu estava bem, meus pais o sabem, ou, melhor dizendo, já ontem à noite eu tinha um leve pressentimento. Alguém deveria tê-lo notado em mim. Por que foi que não o comuniquei na firma! Mas a gente sempre acaba pensando que pode vencer a doença sem ficar em casa. Senhor gerente! Poupe meus pais! Não existe motivo nenhum para todas as acusações que o senhor está me fazendo; também não me disseram nenhuma palavra a respeito disso. O senhor talvez não tenha lido as últimas encomendas que eu mandei. Aliás, com o trem das oito garanto que estarei em viagem; as poucas horas de repouso me fortaleceram. Não é necessário que o senhor fique se demorando por aqui, senhor gerente; logo estarei na firma e só lhe peço que tenha a bondade de dizer tudo isso ao chefe e apresentar-lhe minhas recomendações!

E enquanto Gregor botava tudo isso para fora às pressas, e mal sabia o que estava falando, havia se aproximado um pouco do armário, com certeza em virtude dos exercícios feitos anteriormente na cama, e tentava levantar-se apoiando-se nele. Ele de fato queria abrir a porta, deixar que o vissem e falar com o gerente; estava curioso para ver o que os outros, que agora imploravam tanto por ele, haveriam de dizer ao vê-lo no estado em que se encontrava. Caso se assustassem, Gregor não teria mais nenhuma responsabilidade e poderia ficar tranquilo. Mas se eles aceitassem tudo com tranquilidade, mesmo assim ele não teria nenhum motivo para ficar perturbado e poderia, caso se apressasse, estar de fato na estação às oito horas. Nas primeiras tentativas de se erguer sobre o armário liso, resvalou abaixo; mas enfim, depois de tomar um último impulso, estava ali, parado; já nem dava mais atenção às dores na parte inferior de seu corpo, ainda que estas queimassem.[16] Logo deixou-se cair sobre o encosto de uma cadeira ali perto, em cujas bordas se segurou usando suas perninhas. Com isso alcançou também o domínio sobre si e emudeceu, e só assim conseguiu ouvir o que o gerente dizia.

– Entenderam uma única palavra? – perguntou o gerente aos pais. –Será que ele não está querendo nos fazer de bobos?

– Pelo amor de Deus – gritou a mãe, já dominada pelo choro –, talvez ele esteja de fato gravemente doente e nós aqui, atormentando-o. Grete! Grete! – chamou ela então.

– Sim, mãe? – gritou a irmã do outro lado. Elas se comunicaram através do quarto de Gregor.

---

16. O sentimento do dever e da honra fazem com que Gregor perca a noção das coisas e sequer dê atenção às dores – e ao calor queimante – de seu próprio corpo. O susto que causaria nos outros ao aparecer em frente deles, ao mesmo tempo em que mostra um fulgor de dúvida em relação à sua situação, faria nulas as acusações do gerente. (N.T.)

– Tu tens de ir às pressas chamar o médico. Gregor está doente. Rápido, vá chamar o médico! Ouviste o Gregor falando?

– Era uma voz de animal – disse o gerente, numa voz que chamava a atenção de tão baixa, tanto mais se comparada aos gritos da mãe.[17]

– Anna! Anna! – gritou o pai através da sala de espera em direção à cozinha, batendo palmas. – Chame imediatamente um serralheiro!

E de pronto as duas moças passavam correndo pela sala de espera, num farfalhar de saias – como terá a irmã se vestido tão rápido?[18] – e abriam a porta de entrada com ímpeto. Não se ouviu a porta bater, fechando; sem dúvida deixaram-na aberta como costuma acontecer em casas nas quais sucedeu uma grande desgraça.[19]

Gregor, no entanto, ficara bem mais tranquilo. É verdade que não compreendiam mais suas palavras, mesmo que para ele elas tenham sido bastante claras, e inclusive mais claras do que antes, talvez por seu ouvido já ter se acostumado a elas. Em todo caso, pelo menos já acreditavam que as coisas não

---

17. Agora fica claro de vez que Gregor não tem mais o poder de fazer o mundo entendê-lo, embora ele entenda perfeitamente o mundo. (N.T.)

18. A pergunta, literalmente colada em meio à narrativa tão problemática, mostra os diversos níveis da mesma narrativa, a percepção aguda e objetiva de Gregor e uma preocupação um tanto "exagerada" com a nudez da irmã. (N.T.)

19. Outro sinal profundamente irônico, que vai muito além de um comentário isento-objetivo do narrador. A "grande desgraça" de Gregor é trivializada por um ato corriqueiro, típico em situações "semelhantes". (N.T.)

estavam em ordem com ele e se mostravam prontos a ajudá-lo. A confiança e a certeza, com as quais as primeiras providências foram tomadas, lhe faziam bem. Ele sentia-se mais uma vez incluído no círculo das relações humanas e esperava de ambos, do médico e do serralheiro – mesmo sem distingui-los com clareza um do outro – um desempenho grandioso e surpreendente.[20] A fim de adquirir uma voz tão clara quanto possível para as discussões decisivas que se acercavam, tossiu um pouco, esforçando-se, em todo caso, para fazê-lo de um modo bastante velado, visto que possivelmente até mesmo esse barulho soaria bem diferente de uma tossida humana, coisa sobre a qual nem ele mesmo se atrevia a julgar. No aposento contíguo o silêncio era total nesse meio-tempo. Talvez os pais, junto com o gerente, estivessem sentados à mesa, cochichando, talvez estivessem todos com o ouvido apoiado à porta, escutando.

Gregor deslocou-se devagar até a porta, empurrando a cadeira; deixou-a lá e jogou-se contra a porta, mantendo-se de pé junto a ela – as plantas na extremidade de suas perninhas tinham um pouco de substância aderente – e descansando do esforço por um momento. Aí então procurou girar a chave que estava na fechadura com a boca. Ao que parecia, lamentavelmente ele não tinha dentes de verdade – com o que, portanto, poderia agarrar de pronto a chave? –, mas em compensação as mandíbulas eram, com certeza, muito fortes; com a ajuda delas logrou

---

20. Mais uma vez, ironia. Gregor, que há pouco mostrou detestar o contato humano, fica ingenuamente feliz com a possibilidade de reatá-lo. (N.T.)

movimentar a chave e não deu atenção ao fato de que, sem dúvida, causava algum dano a elas, pois um líquido marrom saiu de sua boca, correu sobre a chave e pingou ao chão.

– Escutem só isso – disse o gerente no quarto contíguo –, ele está girando a chave.

Aquilo era um grande estímulo para Gregor; mas todos deveriam tê-lo apoiado, inclusive o pai e a mãe: "Vamos, Gregor, força", eles deveriam ter gritado, "sempre adiante, segurando firme na fechadura!" E imaginando que todo o seu empenho era acompanhado com expectativa, mordeu, agarrando-se com toda a força que conseguiu reunir – e sem refletir – à chave. E a cada vez que progredia no ato de virar a chave, dançava junto em torno da fechadura; agora segurava-se em pé apenas com a boca e, segundo suas necessidades, pendurava-se à chave ou empurrava-a outra vez para baixo, usando todo o peso de seu corpo. O som mais claro da fechadura, que enfim retrocedia, abrindo-se, pareceu ter despertado Gregor. Respirando aliviado, ele disse a si mesmo: "Pois bem, não precisei do serralheiro" e deitou a cabeça sobre o trinco a fim de abrir a porta por completo. Tinha de abri-la puxando contra si uma de suas folhas, e a porta na verdade já estava bastante aberta, embora ele ainda não pudesse ser visto. Primeiro ele tinha de se deslocar devagar em volta da folha, e com todo o cuidado, se não quisesse cair de jeito sobre as costas, justo à entrada do quarto. Ainda estava ocupado naqueles movimentos difíceis, não tendo tempo de dar atenção a qualquer outra coisa, quando escutou o gerente soltar um "Oh!" alto – ele soou como o vento a zunir –, vendo logo depois como ele, que era o mais próximo da porta, apertava a mão contra a boca e recuava devagar, como se estivesse sendo afastado por uma força invisível e constante. A mãe – que estava parada ali e, apesar da presença do gerente, ainda não havia arrumado os cabelos desfeitos da noite anterior – olhou primeiro para o pai, com as mãos entrelaçadas, depois deu dois passos em direção a Gregor e caiu em meio às saias que se espalhavam a seu redor, com o rosto afundado ao peito, e totalmente encoberto. O pai cerrou o punho com expressão hostil, como se quisesse empurrar Gregor de volta ao quarto, depois olhou a sala em volta de si, inseguro; em seguida levou as mãos aos olhos, cobrindo-os, e chorou, a ponto de fazer seu peito poderoso sacudir-se num frêmito.[21]

Gregor não chegou a entrar na sala de estar, mas, de dentro de seu quarto, apoiou-se à folha da porta, de modo que só podia ser vista a metade de seu corpo e sobre ela a cabeça inclinada para o lado, com a qual espreitava os outros lá fora. Nesse meio-tempo o dia amanhecera de vez e ficara bem mais claro; visível, do outro lado da rua, mostrava-se o recorte infindável do edifício cinza-enegrecido oposto – era um hospital –, com suas janelas regulares rompendo de maneira dura a fachada; a chuva ainda caía, mas apenas em pingos grandes, visíveis um a um, e

---

21. Mais uma vez aparece demonstrado o gigantismo intimidante do pai, aqui agressivo e logo a seguir impotente. (N.T.)

literalmente jogados de forma isolada sobre a terra. Os talheres do café da manhã jaziam em abundância sobre a mesa, pois para o pai o café da manhã era a refeição mais importante do dia, e ele se demorava nela durante horas a ler diferentes jornais. Justo na parede oposta pendia uma fotografia de Gregor, de seus tempos de serviço militar, que o mostrava como tenente, mão na espada, sorrindo despreocupado, e invocando respeito para sua postura e seu uniforme.[22] A porta que dava para a sala de espera estava aberta e podia-se olhar – visto que a porta de entrada também estava aberta – pelo vestíbulo da casa afora até o início da escada que descia.

– Bem – disse Gregor, e estava perfeitamente ciente de que era o único que havia guardado a calma –, eu logo irei me vestir, empacotar o mostruário e partir. Vocês querem, vocês querem mesmo me deixar partir? Pois bem, senhor gerente, como o senhor vê, eu não sou teimoso e até gosto de trabalhar; viajar é incômodo, mas eu não poderia viver sem viajar. Mas para onde o senhor está indo, senhor gerente? Para a firma? Sim? O senhor vai noticiar tudo, respeitando a verdade das coisas? A gente até pode ser incapaz de trabalhar no momento, mas é justo esta a hora certa para se lembrar do desempenho passado e ponderar que mais tarde, depois do afastamento do obstáculo, a gente com certeza poderá trabalhar

22. O retrato aparece para refletir, em seu caráter de uniforme, de poder, o exato oposto – daí, mais uma vez, o humor – do estado atual de Gregor. Retratos são sempre carregados de significado em Kafka, e o da mulher luxuriosamente vestida em pele, guardado no quarto de Gregor, também não é gratuito. (N.T.)

de maneira tanto mais diligente e concentrada. Sim, eu me encontro de todo obrigado ao senhor chefe, e disso vós sabeis muito bem. Por outro lado, tenho as preocupações todas em relação aos meus pais e minha irmã. Estou no maior aperto, mas saberei trabalhar para sair dessa. Só peço que o senhor não torne tudo ainda mais difícil do que já é para mim. Tome o meu partido na firma! Sei bem que ninguém ama o caixeiro-viajante. Sei que pensam que ele fatura rios de dinheiro e ainda por cima leva boa vida. Mas também não querem aproveitar nenhuma oportunidade para refletir melhor a respeito desse preconceito. E o senhor, senhor gerente, o senhor tem uma visão melhor a respeito das circunstâncias do que o resto do pessoal, e inclusive – e digo isso cá entre nós, com toda a franqueza –, uma visão melhor do que a do próprio senhor chefe, que na qualidade de empresário se deixa levar com facilidade por um erro, prejudicando um funcionário.[23] O senhor também sabe muito bem que o viajante, que passa quase o ano inteiro fora da firma, pode facilmente se tornar vítima de fofocas, fortuidades e queixas desprovidas de sentido, contra as quais se torna impossível que ele se defenda, uma vez que na maior parte dos casos nem toma conhecimento a respeito delas, e só quando já está em casa, depois de terminar, esgotado, uma viagem, é que vem a sentir na própria carne as duras consequências daquilo que

23. O proprietário como inimigo natural do empregado é visão de mundo na obra de Kafka. Ademais – e biograficamente falando – os empregados da firma do pai haviam pedido demissão em massa algum tempo antes, protestando contra seu modo de conduzir o negócio. A experiência marcou o autor. (N.T.)

nem pode mais descobrir qual é a origem. Senhor gerente, peço que o senhor não vá embora sem antes ter me dito uma palavra que seja que me mostre que o senhor pelo menos me dá um pingo de razão!

Mas o gerente já havia virado as costas ao ouvir as primeiras palavras de Gregor e agora apenas voltava os olhos por sobre os ombros trêmulos, fixando-o com a boca escancarada. E durante a fala de Gregor não ficou um só instante quieto, mas recuava sem perder Gregor de vista em direção à porta, pé ante pé, como se existisse uma proibição secreta de deixar a sala. Já estava na sala de espera, e depois do movimento repentino com o qual deu o último passo tirando seu pé de dentro da sala de estar, poder-se-ia acreditar que ele acabava de queimar a sola dos pés. Na sala de espera, no entanto, estendeu a mão direita bem à frente, buscando a escada, como se lá estivesse esperando por ele uma salvação de ordem extraterrena.

Gregor percebeu que não poderia de modo algum deixar o gerente ir-se embora no estado de espírito em que se encontrava, caso não quisesse ver seu emprego na firma em perigo extremo. Os pais não compreendiam tudo isso muito bem; eles haviam formado para si ao longo de todos aqueles anos a convicção de que Gregor estava garantido naquela firma pelo resto de sua vida; e além do mais tinham tanto a fazer com as preocupações momentâneas que qualquer previsão não poderia estar mais longe de seu alcance. Mas Gregor era capaz dessa previsão. O gerente tinha de ser detido, acalmado, persuadido, e por fim conquistado; o futuro de Gregor e sua família dependia disso! Se pelo menos a irmã estivesse aqui! Ela era esperta; já chorava quando Gregor ainda estava deitado em silêncio sobre as costas. E com certeza o gerente, esse amigo das mulheres, teria se deixado levar por ela; ela fecharia a porta de entrada e acabaria, no papo, ali mesmo na sala de espera, com o susto do gerente.[24] Mas a irmã lamentavelmente não estava ali, Gregor tinha de negociar sozinho. E sem pensar que nem conhecia suas atuais capacidades de movimentar-se, sem pensar também que seu discurso possivelmente, ou até provavelmente, mais uma vez não havia sido compreendido, ele deixou a porta, deslocando-se pela abertura; queria ir até o gerente, que já se segurava com as duas mãos de modo ridículo ao corrimão do vestíbulo; mas caiu logo, procurando apoio e dando um pequeno grito, sobre suas inúmeras perninhas. Mal isso havia acontecido, sentiu pela primeira vez naquela manhã uma sensação de bem-estar corporal; as perninhas tinham solo firme sobre si; agora elas respeitavam por completo seus comandos, conforme – para sua imensa alegria – veio a perceber; até pareciam desejar carregá-lo adiante, para onde quisesse; e Gregor já estava acreditando ter diante de si a melhora definitiva, que o afastava de todos os sofrimentos.[25] Mas no mesmo instante em que balançava devido

---

24. Outra constante na obra de Kafka. A mulher como meio objetivo de suborno. (N.T.)

25. Depois do bem-estar momentâneo e da melhora de sua situação atual, em que Gregor começa a se adaptar à sua situação, vem a ironia meio ingênua do exagero. (N.T.)

aos movimentos contidos, sobre o chão, não muito distante de sua mãe – na verdade bem à sua frente –, esta, que parecia completamente mergulhada em seus pensamentos, deu um salto repentino para cima, estendendo os braços bem para o alto, esticando os dedos e gritando:

– Socorro, pelo amor de Deus, socorro! – Mantinha a cabeça inclinada como se quisesse ver Gregor melhor, mas, contrariando a suposição, correu para trás sem refletir; havia esquecido que às suas costas estava a mesa, ainda coberta; sentou-se com rapidez e distraidamente sobre ela, quando sentiu que a tocava; pareceu nem ter notado que, a seu lado, o café saía aos borbotões do bule imenso, que ela havia virado, e jorrava sobre o tapete.

– Mãe, mãe! – disse Gregor em voz baixa olhando para cima em direção a ela.

O gerente sumiu por completo de sua lembrança por um momento; por outro lado não conseguiu conter o impulso de atingir várias vezes o vazio com as mandíbulas abertas ao ver o café escorrendo. Ao ver o que acontecia a mãe gritou mais uma vez, escapuliu das proximidades da mesa, caindo nos braços do pai, que corria ao seu encontro. Mas Gregor agora não tinha tempo para seus pais; o gerente já estava nas escadas; com o queixo apoiado ao corrimão ele olhou pela última vez para trás. Gregor tomou impulso a fim de alcançá-lo com a maior certeza possível; o gerente pareceu desconfiar disso, pois deu um salto de vários degraus e sumiu. "Ufa!", ele ainda gritou, e seu grito ressoou por toda a escadaria.

Lamentavelmente a fuga do gerente pareceu confundir por completo também ao pai, que até agora, dadas as circunstâncias, havia se mantido sereno; ao invés de correr ele mesmo atrás do gerente, ou pelo menos não perturbar Gregor na perseguição, o pai tomou com a direita a bengala do gerente – que este havia deixado, junto com o chapéu e o sobretudo, em cima de uma cadeira –, tomou com a esquerda um grande jornal que estava sobre a mesa e, batendo os pés ao chão e brandindo a bengala e o jornal, pôs-se a enxotar Gregor de volta a seu quarto. Nenhum dos pedidos de Gregor adiantou, nenhum dos pedidos sequer foi entendido; e quanto mais inclinava a cabeça mostrando-se humilde, tanto mais forte o pai sapateava ao chão. Do outro lado a mãe havia escancarado uma janela apesar do frio que fazia e, curvada para fora, com o corpo praticamente todo inclinado para o lado externo, comprimia o rosto nas mãos. Entre a rua e as escadarias formou-se uma forte corrente de ar, as cortinas voaram para o alto, os jornais sobre a mesa farfalharam, folhas isoladas pairaram no ar até cair ao chão. Inexorável, o pai o empurrava para trás emitindo silvos como se fosse um selvagem.[26] Mas Gregor ainda não tinha nenhuma prática em caminhar de ré, e só conseguia fazê-lo com muita lentidão. Se Gregor apenas pudesse se virar, estaria logo dentro de seu quarto, mas ele temia impacientar seu pai com a perda de tempo empenhada nessa operação, e a cada instante

26. O pai parece animalizar-se na perseguição a Gregor, quer para impor-lhe medo, quer para fazer-se entender melhor. (N.T.)

a bengala na mão do pai o ameaçava com um golpe fatal nas costas ou na cabeça.[27] Ao final das contas, no entanto, não restou a Gregor outra coisa a fazer, uma vez que percebera com horror que não lograva sequer manter a direção ao caminhar de ré; de modo que começou a se virar, lançando olhares incessantes e angustiados a seu pai e tentando movimentar-se o mais rápido possível, mas alcançando fazê-lo apenas com muito vagar. Talvez o pai tenha percebido suas boas intenções, pois não o perturbou no ato, e até, pelo contrário, ajudou-o no movimento giratório, dando uma pancadinha aqui e ali com a ponta de sua bengala, mas mantendo-se à distância. Se pelo menos não fosse aquele sibilar insuportável do pai! Por causa dele Gregor perdeu totalmente a cabeça. Já havia se virado quase por completo quando, sempre ouvindo aquele sibilar, chegou a se confundir, voltando a se virar um pouquinho na direção contrária. Quando, no entanto, enfim se encontrou, feliz, com a cabeça ante a abertura da porta, deu-se conta de que seu corpo era demasiado largo para conseguir passar por ela assim no mais. Ao pai, na situação em que se encontrava, naturalmente também não ocorreu, nem de longe, abrir a outra folha da porta, a fim de arranjar espaço suficiente para que Gregor conseguisse passar. Sua ideia fixa era fazer apenas com que Gregor entrasse o mais rápido possível para dentro de seu quarto. Jamais permitiria também os

27. O pai aparece poderoso em seu caráter de juiz e com o poder de decidir, inclusive, sobre a vida e a morte. A situação é semelhante em *O veredicto (Das Urteil)*, narrativa do mesmo ano, 1912, que sinalizou o despertar de Kafka para a literatura. (N.T.)

preparativos circunstanciais que Gregor necessitava para se erguer e talvez, desse modo, conseguir passar pela porta. Ao invés disso, agora impelia Gregor fazendo uma barulheira ainda maior, como se não houvesse nenhum obstáculo à sua frente; a Gregor aquilo já soava como se não fosse apenas a voz de um único pai;[28] no momento parecia de verdade que a coisa não estava mais para brincadeira, e Gregor forçou sua entrada – acontecesse o que quisesse acontecer – pela porta. Um dos lados de seu corpo elevou-se, ele estava deitado em posição oblíqua na abertura da porta; um de seus flancos ficou bastante esfolado, na porta branca ficaram manchas horríveis e em pouco estava entalado no vão de entrada e não conseguia mais se mover sozinho; as perninhas de um dos lados pendiam tremebundas, soltas ao ar, enquanto as do outro lado se encontravam apertadas dolorosamente ao chão; foi aí que seu pai lhe desferiu um violento golpe por trás – desta vez salvador de verdade – e ele voou, sangrando em abundância, quarto adentro. A porta ainda foi fechada com a bengala, depois enfim ficou tudo em silêncio.

28. A angústia total dá a impressão de que a figura do opressor se multiplica. Goliádkin, n'*O duplo,* de Dostoiévski, tem a mesma sensação. (N.T.)

II

Apenas no crepúsculo Gregor despertou de seu sono pesado, semelhante a um desmaio. Com certeza também não teria acordado muito mais tarde, ainda que não tivesse sido perturbado, pois sentia que estava descansado e havia dormido o suficiente; pareceu-lhe, contudo, que fora acordado por um passo fugidio e um trancar cauteloso da porta que levava à sala de espera. O clarão das lâmpadas elétricas da rua deitava pálido aqui e acolá, sobre o teto do quarto e as partes mais altas dos móveis; mas embaixo, junto a Gregor, estava escuro. Ele deslocou-se devagar, tateando ainda sem jeito com suas antenas, às quais só agora aprendia a dar valor, em direção à porta, a fim de verificar o que havia acontecido por lá. Seu lado esquerdo parecia uma única e longa cicatriz, desagradavelmente esticada, e ele tinha de capengar com cuidado sobre as duas fileiras de pernas. Uma das perninhas, aliás, fora ferida com gravidade no curso dos acontecimentos matutinos – era quase um milagre que apenas uma tenha sido ferida – e era arrastada inerte atrás das outras.

Só quando chegou à porta percebeu o que o havia atraído até lá; era o cheiro de algo comestível.

No local havia uma tigela cheia de leite doce, no qual nadavam pequenos pedaços de pão branco. Quase que riu de alegria, pois tinha uma fome ainda maior do que pela manhã, e logo mergulhou sua cabeça praticamente até os olhos dentro do leite. Mas em pouco recolheu-a de volta, decepcionado; não apenas porque o ato de comer lhe trazia dificuldades por causa do estado precário de seu lado esquerdo – e ele só conseguia comer se o corpo todo, resfolegando, colaborasse –, mas sobretudo porque não gostou nem um pouco do leite, que antes era sua bebida preferida e que por certo a irmã lhe trouxera pensando nisso; sim, ele se afastou quase com repugnância da tigela, rastejando de volta ao meio do quarto.

Na sala de estar, conforme Gregor viu através da fresta da porta, o lampião a gás fora aceso, mas se antes o pai costumava ler o jornal em voz alta para a mãe e às vezes para a irmã a essa hora do dia, agora não se ouvia som algum. Bem, talvez essa leitura, da qual a irmã sempre falava e escrevia, tivesse deixado de fazer parte da rotina nos últimos tempos. Mas também em volta estava tudo tão silencioso, ainda que, com certeza, a casa não estivesse vazia. "Que vida sossegada que a família não levava", disse Gregor a si mesmo e sentiu, enquanto fixava os olhos à frente de si na escuridão, um grande orgulho pelo fato de ter conseguido dar a seus pais e sua irmã uma vida dessas numa casa tão bonita.[29] Mas o que aconteceria de ora em diante se toda a calma, todo o bem-estar,

---

29. A situação da família de Gregor é totalmente burguesa – coisa que é afirmada e reafirmada por vários elementos – e sobra alguma tinta de ironia na referência. (N.T.)

toda a satisfação tivessem um fim assustador? Para não se perder em tais pensamentos, Gregor preferiu pôr-se em movimento e rastejou pelo quarto, acima e abaixo.

Uma vez durante a longa noite foi aberta uma das portas laterais, e depois a outra, até se fazer uma pequena fresta; mas logo depois elas voltaram a ser fechadas com rapidez; alguém parecia ter necessidade de entrar, mas dúvidas em demasia para efetivá-lo. Gregor decidiu-se, pois, a ficar ante a porta da sala de estar, querendo achar um jeito de trazer para dentro a visita hesitante, ou pelo menos descobrir quem ela era; mas aí a porta não foi mais aberta e Gregor esperou em vão. Hoje cedo, quando todas as portas estavam trancadas, todos quiseram entrar para vir até ele; agora, que ele abrira uma das portas e que as outras pareciam ter sido abertas no decorrer do dia, ninguém mais queria vir, ainda que as chaves estivessem na fechadura do lado de fora.

Só mais tarde, à noite, a luz na sala de estar foi apagada, e de momento parecia fácil constatar que os pais e a irmã haviam ficado acordados por todo esse tempo, pois conforme poderia ser ouvido com perfeição, todos os três agora se afastavam na ponta dos pés. Com certeza ninguém mais viria até Gregor antes da manhã seguinte; ele tinha, portanto, bastante tempo para refletir, sem ser perturbado, como haveria de arranjar sua vida a partir de então. Mas o quarto alto e vazio, no qual era obrigado a ficar deitado de bruços sobre o chão, causava-lhe medo, sem que ele conseguisse descobrir a causa, visto que o quarto era seu e nele habitava há cinco anos – e com uma virada meio inconsciente e não sem sentir uma leve vergonha, ele precipitou-se para debaixo do canapé, onde logo se sentiu, apesar de suas costas ficarem um pouco apertadas e apesar de não conseguir mais levantar a cabeça, bem confortável, lamentando apenas que seu corpo fosse demasiado largo para poder se abrigar por inteiro sob o canapé.

Lá ficou durante toda a noite, a qual ele passou em parte num meio-sono – do qual a fome sempre voltava a acordá-lo –, em outra parte, dominado por preocupações e esperanças confusas, mas que levavam todas elas à conclusão de que ele por enquanto tinha de se comportar com calma e tornar suportáveis, pela paciência e pela máxima consideração com sua família, as inconveniências que em seu atual estado ele estava simplesmente obrigado a causar aos outros.

Já bem cedo pela manhã – ainda era quase noite –, Gregor teve oportunidade de provar a força de suas decisões recém tomadas, pois vinda da sala de espera a irmã, quase totalmente vestida, abriu a porta olhando com expectativa para dentro. Ela não o descobriu logo, mas quando percebeu que estava embaixo do canapé – Deus do céu, ele tinha de estar em algum lugar, não poderia ter voado assim no mais para longe[30] –, assustou-se de tal maneira que, sem lograr conter-se, voltou a bater a porta com

30. Mudança momentânea de perspectiva. O narrador situa-se do lado da irmã – mais uma vez analisada no detalhe em suas vestimentas há pouco – para exprimir, de maneira indireta, aquilo que poderia ser um desejo, ou um medo dela. (N.T.)

força antes mesmo de entrar. Mas como se tivesse se arrependido de seu comportamento, voltou a abrir a porta em seguida e, parecendo se dirigir a um doente grave ou até mesmo a um estranho, entrou na ponta dos pés. Gregor havia deslocado a cabeça quase até as bordas do canapé e observava os movimentos dela. Será que ela chegaria a perceber que ele havia deixado o leite intacto, embora isso não tivesse nada a ver com falta de fome; e será que traria outra comida para dentro, que se adequasse melhor a suas atuais necessidades? Caso não o fizesse por si mesma, ele preferiria morrer de fome do que chamar a atenção dela a respeito, ainda que na verdade sentisse uma vontade monstruosa de sair de onde estava, embaixo do canapé, e se jogar aos pés da irmã, implorando para que lhe trouxesse algo de bom para comer. Mas a irmã percebeu de imediato, e admirada, a tigela ainda cheia, da qual apenas um pouco do leite fora derramado em volta; levantou-a logo, não com as mãos nuas, mas com um trapo em volta delas, e levou-a para fora. Gregor estava curioso ao extremo para ver o que ela traria em substituição ao leite e fazia as mais variadas conjecturas a respeito. Mas ele jamais poderia adivinhar o que a irmã, em sua bondade, faria. Para testar seu gosto, ela lhe trouxe todo um sortimento, espalhado sobre um jornal velho. Ali havia legumes velhos, semiapodrecidos; ossos da janta da noite anterior, envolvidos pelo molho branco endurecido; algumas passas e amêndoas; um queijo, que Gregor há dois dias teria declarado intragável; um pão seco, um pão com manteiga e um pão salgado com manteiga. Além disso ela colocou junto de tudo isso a tigela – que provavelmente estava destinada a Gregor de uma vez por todas –, na qual havia posto água. E por ternura, uma vez que sabia que Gregor não comeria nada diante dela, afastou-se com rapidez, virando inclusive a chave, a fim de que apenas Gregor notasse e para que ele pudesse ficar tão à vontade quanto quisesse. As perninhas de Gregor zuniram quando ele se dirigiu à comida. Suas feridas, aliás, já deviam estar de todo saradas, pois ele não sentiu mais nenhum incômodo no movimento das pernas e ficou surpreso pensando que há mais de um mês se cortara um pouquinho no dedo com a faca, sendo que ainda anteontem essa ferida doía bastante. "Será que agora eu estou menos sensível?", pensou ele enquanto chupava o queijo com voracidade, para o qual, antes de todos os outros alimentos, sentira-se atraído de maneira imediata e enérgica. Rapidamente, e com os olhos lacrimejando de satisfação, ele devorou, um atrás do outro, o queijo, os legumes e o molho; as comidas frescas, ao contrário, não lhe agradavam; não conseguia suportar nem mesmo o cheiro delas, e inclusive arrastou as coisas que queria comer até um lugar um pouquinho afastado. Já estava pronto com tudo há tempo, e apenas ainda permanecia deitado, preguiçoso, no mesmo lugar, quando a irmã, em sinal de que ele deveria se retirar, girou a chave devagar. Isso alarmou-o de imediato, embora estivesse quase cochilando, de modo que se apressou a voltar para baixo do canapé. Mas lhe custava um autossacrifício imenso ficar embaixo do canapé, ainda que durante o curto espaço de tempo em que a irmã permanecia no quarto, pois devido à comida farta seu corpo havia se arredondado um pouco e ele mal conseguia respirar na estreitez do cantinho. Em meio a pequenos ataques de sufocamento ele viu com olhos algo arregalados como a irmã, que não desconfiava de nada, varria num monte não apenas os restolhos, mas também os alimentos que Gregor sequer havia tocado, como se também estes não pudessem mais ser aproveitados, e como ela derramou tudo às pressas numa tina, que foi fechada com uma tampa de madeira logo depois e levada para fora. Mal a irmã havia virado as costas, e Gregor já saía de onde estava, sob o canapé, distendendo os membros e voltando a inchar o corpo.

Foi desse jeito que Gregor passou a receber sua comida dia a dia, a primeira vez pela manhã, quando os pais e a empregada ainda estavam dormindo, a segunda vez depois de todos terem almoçado, pois aí os pais também dormiam um pouquinho e a empregada era despachada pela irmã a fim de que fosse providenciar algo. Claro que também eles não queriam que Gregor morresse de fome, mas talvez não tivessem suportado saber qualquer coisa a respeito de sua alimentação mais do que por ouvi-lo falar; talvez a irmã também quisesse poupá-los de mais uma pequena tristeza, uma vez que eles de fato já sofriam o suficiente.

Com que tipo de desculpas haviam conseguido voltar a afastar de casa o médico e o serralheiro naquela primeira manhã, Gregor não pôde ficar sabendo: visto que eles não conseguiam compreendê-lo, ninguém pensava, nem mesmo a irmã, que ele poderia compreender os outros; e assim ele tinha de se contentar, quando a irmã estava em seu quarto, em escutar aqui e ali seus suspiros e clamores aos santos. Só mais tarde, quando ela já havia se habituado um pouco a tudo – é evidente que jamais poderia ser falado de uma habituação completa –, Gregor apanhava no ar alguma observação, de intenção carinhosa ou que pelo menos poderia assim ser interpretada. "Opa, mas hoje ele gostou da comida", ela dizia quando Gregor havia se metido com fome ao pote, ao passo que quando a situação se mostrava inversa, coisa que se tornava cada vez mais frequente aos poucos, ela cuidava em dizer, quase triste: "Mais uma vez deixou tudo de lado".

Mas se Gregor não ficava sabendo de nenhuma novidade de maneira imediata, ouvia sempre algo nos aposentos vizinhos, e, bastava escutar uma voz em qualquer deles, corria logo até a respectiva porta e grudava seu corpo inteiro a ela. Em especial nos primeiros tempos, não acontecia nenhuma conversa que, de um jeito ou de outro e ainda que secreta, não tratasse dele. Durante dois dias, em todas as refeições, pôde ouvir deliberações a respeito de como eles deveriam se comportar a partir de então; mas também nos períodos entre café, almoço e jantar falavam sobre o mesmo tema, pois sempre havia pelo menos dois membros da família em casa, uma vez que ninguém queria ficar em casa sozinho e também não se podia, de nenhum modo, abandonar de todo o apartamento. A empregada, logo no primeiro dia

– não estava muito claro o que e quanto ela sabia a respeito do que acontecera –, caiu de joelhos, implorando à mãe que a demitisse logo, e quando ela se despediu quinze minutos depois, agradeceu pela demissão debaixo de lágrimas, como se estivessem lhe prestando o maior favor do mundo, e fez, sem que ninguém lhe pedisse, o solene juramento de não contar a ninguém o mínimo que fosse.

Agora, pois, a irmã também tinha de, junto com a mãe, cozinhar; em todo caso aquilo não exigia muito esforço, pois não comiam quase nada. Gregor voltava sempre a ouvir como um estimulava em vão o outro para que comesse, não recebendo nenhuma outra resposta que não: "Obrigado, para mim basta" ou algo parecido. Beber, parece que também não bebiam nada. Muitas vezes a irmã perguntava ao pai se ele não queria uma cerveja, oferecendo-se, cheia de amabilidade, para ir buscá-la; e quando o pai calava, ela dizia, para desfazer qualquer escrúpulo da parte dele, que poderia mandar a zeladora do prédio ir buscá-la; mas aí o pai acabava com a conversa dizendo um "Não" poderoso, e não se falava mais a respeito disso.

Já no decorrer do primeiro dia o pai havia exposto, tanto à mãe quanto à filha, a situação financeira em que estavam, bem como as perspectivas em relação ao futuro. Aqui e ali, levantava da mesa e pegava de seu pequeno cofre-forte, que ele conseguira salvar da falência ocorrida com seu negócio há cinco anos, algum tipo de comprovante ou mesmo um livro de notas. Escutava-se como ele destrancava a complicada fechadura, fechando-a depois de ter tirado o que procurava. Esses esclarecimentos do pai foram, em parte, as primeiras coisas agradáveis que Gregor ouviu desde que fora encarcerado.[31] Ele sempre pensara que não havia sobrado absolutamente nada ao pai do negócio falido; o pai pelo menos não lhe havia dito nada que pudesse prever o contrário, mas Gregor, em todo caso, não lhe havia perguntado nada a respeito. A preocupação de Gregor naquele tempo era apenas fazer tudo para que a família esquecesse o mais rápido possível a falta de sorte nos negócios, que havia jogado todos em completa desesperança. De modo que começara a trabalhar com um ardor todo especial e, quase da noite para o dia, transformara-se de pequeno empregado de comércio a caixeiro-viajante, passando a ter, naturalmente, possibilidades bem diferentes de ganhar dinheiro, e podendo de imediato transformar os êxitos de seu trabalho – que surgiam na forma de provisões – em dinheiro vivo, que podia ser deitado sobre a mesa em casa, ante os olhos surpresos e felizes da família. Haviam sido tempos bonitos aqueles, e jamais depois disso eles haviam se repetido, pelo menos com o mesmo brilho, ainda que Gregor mais tarde continuasse a ganhar dinheiro suficiente a ponto de ser capaz de carregar sobre si as despesas de toda família e de fato carregando-as. Todo mundo havia se acostumado com isso, tanto a

31. A metamorfose – de larga tradição na história da literatura – de Gregor, que é vista por muitos como tendo um forte aspecto libertador (em relação ao emprego, sobretudo) aqui é referida como prisão, o que se apoia no fato de que Gregor jamais desejou de verdade se libertar do emprego ou da família. (N.T.)

família quanto Gregor, e todos aceitavam o dinheiro agradecidos; ele o concedia com prazer, mas já não havia mais qualquer sentimento efusivo especial. Apenas a irmã havia continuado próxima a Gregor, e ele tinha o plano secreto de – uma vez que ela, ao contrário de Gregor, amava muito a música e sabia tocar violino de um modo comovedor – mandá-la ao conservatório no próximo ano sem dar atenção aos gastos, que haveriam de ser grandes. Várias vezes, durante as curtas permanências de Gregor na cidade, o conservatório era mencionado nas conversas com a irmã, mas apenas como se fosse um belo sonho, em cuja realização nem se poderia pensar, que os pais não faziam gosto em ouvir, nem mesmo na condição de menções inocentes; mas Gregor pensava com muita determinação a respeito e tencionava proclamá-lo de maneira festiva na noite de Natal.

Esses pensamentos, que em sua atual situação eram totalmente inúteis, passaram-lhe pela cabeça enquanto ele se colara de pé à porta e escutava. Por vezes, em virtude do cansaço geral, ele não conseguia ouvir mais nada; e por descuido deixou a cabeça bater à porta, voltando logo a recolhê-la, pois até mesmo o pequeno ruído que ele havia ocasionado na ação fora ouvido no aposento ao lado, emudecendo a todos.

– O que é que ele estará fazendo outra vez – disse o pai, depois de um intervalo, visivelmente virado para a porta, e só depois disso a conversa foi sendo retomada aos poucos.

Gregor tomou então pleno conhecimento – pois o pai costumava ser repetitivo muitas vezes em seus esclarecimentos, em parte porque ele mesmo já não se ocupara há tempo nesse tipo de coisas, em parte também porque a mãe não entendia tudo logo da primeira vez – de que, apesar de toda a desgraça, ainda tinham à disposição, sobra dos velhos tempos, um patrimônio, em todo caso bem pequeno, que os juros tinham feito crescer um pouquinho naquele ínterim. Além disso, o dinheiro que Gregor havia trazido todos os meses para casa – ele reservava apenas alguns florins para si mesmo – não havia sido consumido por completo e formara um pequeno capital. Gregor, atrás de sua porta, meneou a cabeça de maneira efusiva, satisfeito com essa inesperada previdência e senso de economia. Na verdade, ele até poderia ter pago, com essa sobra de dinheiro, mais uma parte da dívida do pai com o chefe, e com isso o dia em que poderia se livrar em definitivo do emprego teria ficado bem mais próximo, mas agora era sem dúvida tanto melhor que as coisas tivessem ficado como estavam, conforme o pai as havia arranjado.

Entretanto, o dinheiro não era de nenhum modo suficiente para que a família pudesse, por exemplo, viver de seus juros; talvez fosse suficiente para mantê-los durante dois, no máximo três anos; mais do que isso não. Era pois, apenas uma soma que a princípio não deveria ser usada, mas deixada de lado para algum caso de necessidade; o dinheiro para viver, no entanto, tinha de ser ganho. Mas o pai, em todo caso, embora fosse um homem saudável, já estava velho, e não trabalhava mais nada há cinco anos; e, seja como for, ele não era capaz de fazer muita coisa; nesses cinco anos, que haviam sido as primeiras férias de sua vida cansativa – e em todo caso fracassada –, ele havia juntado bastante gordura, e por causa dela se tornara absolutamente lerdo. E a velha mãe, então, será que ela deveria ganhar dinheiro, ela que sofria de asma, para quem um simples passeio pela casa já necessitava esforço, sendo que, dia sim dia não, passava o tempo inteiro sobre o sofá, queixando-se de falta de ar, com a janela aberta? E que dizer da irmã, será que ela deveria ganhar dinheiro, ela que ainda era uma criança com seus dezessete anos, cujo modo de viver até então dava tanto gosto de ver, que se acostumara a se vestir bem, dormir até tarde, ajudar um pouco na economia da casa, tomar parte em alguns prazeres humildes e sobretudo tocar violino? Quando a conversa chegava à necessidade de ganhar dinheiro, o primeiro que deixava a porta era Gregor, e se atirava sobre o fresco sofá de couro parado ao lado da porta, pois ficava ardendo de vergonha e tristeza.

Com frequência passava suas longas noites inteiras deitado ali, não dormia um só momento e apenas arranhava durante horas sobre o couro. Ou então não fugia ao grande esforço de empurrar uma cadeira até a janela, para depois subir rastejando pelo peitoril e, escorado na cadeira, inclinar-se para a vidraça, no evidente intuito de recuperar um pouco a recordação do sentimento libertador que no passado estava ligada ao ato de olhar pela janela. Pois na verdade dia a dia ele enxergava com menos nitidez as coisas, mesmo aquelas que estavam pouco distantes; o hospital do lado oposto da rua, cuja visão demasiado frequente antes amaldiçoava, ele já não conseguia mais ver, por mais que tentasse, e se não soubesse com exatidão que morava na calma, ainda que totalmente urbana, Rua Charlotte, poderia acreditar que de sua janela olhava para um deserto, no qual o céu cinzento e a terra cinzenta se fundiam, indistinguíveis um do outro. Apenas por duas vezes a atenta irmã precisou ver a cadeira junto à janela para, sempre que terminava de arrumar o quarto, voltar a empurrá-la ao mesmo lugar onde antes estava, inclusive passando a deixar aberta, a partir de então, a folha interna da janela.

Se ao menos pudesse falar com a irmã para lhe agradecer por tudo que ela tinha de fazer por ele, Gregor poderia admitir com mais facilidade seus serviços; mas assim ele acabava sofrendo por causa deles. A irmã fazia todos os esforços possíveis para apagar ao máximo o aspecto penoso daquilo tudo; e quanto mais passava o tempo, tanto melhor, naturalmente, ela conseguia fazê-lo; mas também Gregor com o tempo compreendia tudo de um modo muito mais claro. Tão só a entrada da irmã já era terrível para ele. Mal havia entrado – e sem se dar ao tempo sequer de trancar as portas, embora de início tivesse o maior cuidado em poupar a todos a visão do quarto de Gregor –, ela corria direto para a janela, escancarando-a com mãos apressadas, como se estivesse quase sufocando, e permanecendo algum tempo, por maior que fosse o frio, junto à janela, a respirar profundamente. Com essa correria e esse barulho ela assustava Gregor duas vezes ao dia; e durante o tempo todo ele tremia sob o canapé, mesmo sabendo que com certeza ela faria gosto em poupá-lo disso, se apenas lhe fosse possível ficar no mesmo quarto em que Gregor estava mantendo as janelas fechadas.

Certa vez – já havia passado bem um mês desde a metamorfose de Gregor, e não existia, portanto, nenhum motivo especial para que a irmã ficasse espantada por causa do aspecto de Gregor –, ela veio um pouco mais cedo do que de costume e encontrou Gregor quando ele, imóvel e completamente predisposto ao susto, olhava para fora da janela. Para Gregor, o comportamento da irmã não seria inesperado, se ela apenas tivesse desistido de entrar no quarto, uma vez que a posição dele a impedia de abrir logo a janela; mas ela não apenas não entrou no quarto, como também recuou e trancou a porta; um estranho poderia pensar que ela agira assim por pensar que Gregor estava à sua espreita a fim de mordê-la. Naturalmente Gregor se escondeu de imediato sob o canapé, mas teve de esperar até o meio-dia até que a irmã voltasse, e ela parecia bem mais inquieta do que de costume. Por causa disso ele percebeu que seu aspecto ainda era insuportável para ela, que com certeza continuaria a ser insuportável para ela, e que ela tinha de fazer muito esforço para dominar a vontade de fugir correndo ante à visão do corpo dele, ainda que fosse a mínima de suas partes que sobressaía sob o canapé. A fim de poupá-la também dessa visão, ele um dia carregou sobre as costas – necessitou de quatro horas para o serviço – o lençol da cama, depositando-o sobre o canapé e arrumando-o de um modo a cobrir por completo o móvel, e fazendo com que a irmã, mesmo que se acocorasse, não pudesse mais vê-lo. Caso o lençol não fosse necessário na opinião dela, então ela poderia afastá-lo, pois era suficientemente claro que não poderia fazer parte de um dos prazeres de Gregor o ato de se encarcerar assim, de todo; mas ela deixou o lençol onde estava e Gregor inclusive acreditou ter surpreendido um olhar de agradecimento em seu rosto, quando certa vez afastou um pouco o lençol com a cabeça a fim de ver como a irmã acolhia a nova instalação.

Nas primeiras duas semanas os pais não conseguiram vencer a própria resistência em chegar até ele, e ele ouviu várias vezes como eles reconheciam plenamente os atuais serviços da irmã, ao passo que até então costumavam se irritar com ela, porque ela lhes parecia ser uma mocinha algo inútil. Agora, no entanto, os dois tinham por hábito esperar, tanto o pai quanto a mãe, ante o quarto de Gregor enquanto a irmã o arrumava; e mal ela havia saído, tinha de contar com precisão qual era o aspecto interior do quarto, o que Gregor havia comido, como ele havia se comportado dessa vez e se por acaso não era possível perceber uma pequena melhora. A mãe, aliás, até pretendia visitar Gregor em pouco, mas o pai e a irmã[32] impediram-na de fazê-lo, primeiro com argumentos racionais, que eram ouvidos por Gregor

---

32. Kafka invoca seus personagens exatamente assim, na condição de irmã, de pai e de mãe, e a ausência do pronome possessivo é tão insistente que chega a alcançar dubiedade ao texto em trechos como este. É raro que o narrador (que nitidamente ocupa o foco de Gregor Samsa) fale de SUA irmã, de SEU pai, de SUA mãe. Eles são, na maior parte das vezes, apenas pai, mãe e irmã, sem a afetividade do pronome possessivo e vivendo tão só em sua condição genérica de pai, mãe e irmã. (N.T.).

com atenção e aprovados inteiramente. Mais tarde, no entanto, passou a ser necessário retê-la à força, e quando então ela gritava: "Deixem-me ir até Gregor, ele é meu filho infeliz! Vocês não entendem que eu tenho de vê-lo?", Gregor chegava a pensar que talvez até fosse bom se a mãe pudesse entrar, não todos os dias, naturalmente, mas quem sabe uma vez por semana; ademais ela entendia tudo muito melhor do que a irmã, que, apesar de toda a sua coragem, era apenas uma criança e, em última análise, talvez tivesse adotado uma tarefa tão pesada unicamente por leviandade infantil.

O desejo de Gregor de ver a mãe em pouco veio a se realizar. Durante o dia, em consideração aos pais, Gregor já não queria mais se mostrar à janela; mas nos poucos metros quadrados do piso ele também não podia mais se arrastar o bastante, e ficar deitado quieto durante a noite toda ele mal conseguia suportar; a comida em pouco tempo não lhe causava mais o mínimo prazer, de modo que, para se distrair, adotou o hábito de se arrastar ziguezagueando pelas paredes e pelo forro. Gostava em particular de ficar pendurado no teto; era bem diferente do que ficar deitado sobre o piso; conseguia-se respirar com mais facilidade; uma leve vibração percorria o corpo; e na distração quase feliz[33] em que Gregor se encontrava lá em cima às vezes acontecia que, para sua própria surpresa, ele se deixava cair estalando no chão. Mas agora, naturalmente, ele já tinha o domínio de seu

33. Outra constante na obra de Kafka. A felicidade só é atingida fora da reflexão. Seus heróis só conseguem bafejar a felicidade quando estão distraídos. (N.T.)

corpo, bem diferente de antes, e não se danificava[34] mesmo numa queda tão grande. A irmã percebeu de imediato o novo divertimento que Gregor havia achado para si – é que também ao se arrastar ele deixava para trás, aqui e acolá, rastros de sua substância aderente –, e meteu na cabeça que teria de facilitar tanto quanto possível o rastejar de Gregor; decidiu retirar os móveis que impediam a atividade, sobretudo o armário e a escrivaninha, portanto. Mas não era capaz de fazer isso sozinha; ao pai não tinha coragem de pedir ajuda; a empregada com certeza não a ajudaria, pois embora essa mocinha de algo como dezesseis anos resistisse, e com bravura, desde a dispensa da antiga cozinheira,[35] havia pedido encarecidamente pelo favor de deixar a cozinha sempre fechada; de modo que não sobrava à irmã outra alternativa que não a de, quando o pai certa vez não estava, pedir a ajuda da mãe. Com exclamações de alegria excitada, a mãe veio até onde ela estava, mas silenciou ante a porta do quarto de Gregor. Primeiro, naturalmente, a irmã foi ver se tudo estava em ordem no quarto; só então deixou a mãe entrar. Gregor havia puxado o lençol ainda mais para baixo e feito um número maior de dobras nele, na maior pressa, e tudo parecia ser, na verdade, apenas um lençol puxado por acaso sobre o canapé. Gregor deixou, também, de espiar desta vez sob o lençol; renunciou a ver a

34. Gregor já parece ter virado "coisa". O verbo usado no original é *beschädigen*, totalmente relativo a objeto, coisa. (N.T.)

35. Aqui fica-se sabendo da existência de mais uma empregada, além da antiga cozinheira, que pediu demissão logo após o ocorrido. (N.T.)

mãe já nessa oportunidade e contentou-se apenas em ficar feliz por ela ter vindo de fato.

– Pode vir, não dá para vê-lo – disse a irmã, e obviamente conduzia-a pela mão.

Gregor ouviu, então, como as duas mulheres frágeis deslocavam o armário velho e pesado de seu lugar, e como a irmã se apressava em tomar sobre si a maior parte do trabalho, sem dar atenção aos alertas da mãe, que temia que ela se esforçasse em demasia. A coisa demorou muito. Não havia passado mais do que quinze minutos de serviço quando a mãe disse que talvez fosse melhor deixar o armário ali, pois, primeiro, ele era muito pesado e elas não conseguiriam terminar antes da chegada do pai e acabariam atravancando qualquer passagem de Gregor se deixassem o armário no meio do quarto, e, segundo, nem tinham certeza de que faziam um favor a Gregor com o afastamento dos móveis. A ela parecia que se dava justo o contrário; a visão da parede nua acabava comprimindo seu coração; e Gregor com certeza teria a mesma sensação, ele que já havia se acostumado há tempo com os móveis do quarto e talvez por isso viria a se sentir abandonado no quarto vazio.

– E não é como se estivéssemos mostrando – terminou dizendo a mãe em voz baixa, quase cochichando, como se quisesse evitar que Gregor, cujo esconderijo ela não sabia ao certo onde era, ouvisse inclusive o som de sua voz, pois quanto ao fato de que ele não entendia o que ela falava, disso estava convencida –, e não é como se estivéssemos mostrando, com o afastamento dos móveis, que abandonamos qualquer tipo de esperança numa melhora, largando-o à própria sorte? Acredito que o melhor seria procurarmos manter o quarto exatamente no estado em que se encontrava antes, a fim de que Gregor, quando voltar a nós, encontre tudo do jeito como estava e possa esquecer de modo mais fácil de tudo o que aconteceu nesse meio tempo.

Ao ouvir essas palavras da mãe, Gregor reconheceu que a falta de qualquer comunicação humana imediata, ligada à vida uniforme em meio à família, no decorrer desses dois meses, deveria ter confundido seu entendimento, pois de outra forma ele não conseguia entender como poderia ter coragem de desejar a sério que seu quarto fosse esvaziado. Tinha de fato vontade de mandar que seu quarto, aquele quarto morno, confortavelmente instalado com móveis herdados, fosse transformado em uma toca, na qual ele poderia se arrastar com liberdade em todas as direções, sem ser perturbado, mas pagando o preço de esquecer de modo simultâneo, rápido e completo seu passado humano? De fato agora já estava próximo de esquecer, e apenas a voz de sua mãe, que ele não ouvia há tempo, dera-lhe uma sacudida interna. Nada deveria ser afastado; tudo tinha de ficar; as boas influências dos móveis sobre sua situação ele não podia dispensar; e se os móveis o prejudicassem no ato de se arrastar por aí sem sentido, isso não era um prejuízo, mas sim uma grande vantagem.[36]

36. No mesmo sentido das fábulas, a mãe ainda aguarda o processo contrário, a “desmetamorfose” de Gregor. E a esperança acaba alimentando a própria vítima. (N.T.)

Mas a irmã lamentavelmente tinha outra opinião; ela havia se habituado – de qualquer forma não sem ter direitos para tanto – a se apresentar diante dos pais como perita em todas as questões relacionadas a Gregor, e também naquela ocasião o conselho da mãe não foi motivo suficiente para a irmã deixar de insistir na retirada não apenas do armário e da escrivaninha, nos quais ela havia pensado por primeiro, mas também na retirada de todos os móveis restantes, a exceção do indispensável canapé. Naturalmente não era só teimosia infantil nem tampouco a autoconfiança que ela alcançara de modo tão difícil e inesperado nos últimos tempos que a determinavam a cumprir essa exigência; ela também havia, tem de se dizer, observado que de fato Gregor precisava de bastante espaço para se arrastar e que, ao contário, pelo menos segundo aquilo que se podia ver, não utilizava o mínimo que fosse os móveis. Mas talvez também tivesse seu papel no ato aquele sentido algo sonhador, típico das meninas de sua idade, que em qualquer oportunidade procura sua própria satisfação, e através do qual Grete agora se deixava atrair, ao querer tornar a situação de Gregor ainda mais assustadora, a fim de passar a fazer por ele ainda mais do que fazia até então. Pois num espaço em que Gregor dominasse sozinho as paredes vazias, com certeza nenhuma outra pessoa a não ser Grete teria coragem de entrar.

E assim ela não deixou que a mãe a fizesse desistir de sua decisão, e a mãe ademais parecia bastante insegura dentro do quarto, tanta era sua impaciência, e logo emudeceu, ajudando a irmã a fazer força na retirada do armário. Pois bem, o armário Gregor até poderia dispensar em caso de necessidade, mas a escrivaninha teria de ficar de qualquer jeito. E mal as mulheres haviam se retirado do quarto com o armário, gemendo de tanto fazer força, e Gregor já avançava a cabeça debaixo do canapé a fim de ver como poderia intervir, sempre tomando cuidado e adotando o máximo de consideração. Mas por azar foi justo a mãe quem retornou primeiro, enquanto Grete permanecera segurando o armário no aposento ao lado e tentava deslocá-lo, sozinha, balançando-o para cá e para lá, naturalmente sem conseguir movê-lo do lugar. A mãe, no entanto, não estava acostumada à visão de Gregor, que poderia até fazê-la ficar doente, de modo que Gregor, assustado, apressou-se em correr para trás até a extremidade oposta do canapé, sem conseguir evitar, contudo, que o lençol se mexesse um pouco na parte da frente. Foi o bastante para chamar a atenção da mãe. Ela parou de repente, ficou imóvel por um instante e depois voltou até onde estava Grete.

Embora dissesse continuadas vezes a si mesmo que nada de mais aconteceria, a não ser que alguns móveis seriam deslocados de seus lugares, esse ir e vir das mulheres, seus curtos chamados, o rascar dos móveis sobre o chão atuava sobre ele – conforme teve de reconhecer – como se fosse um grande tumulto, alimentado por todos os lados; e ele tinha de confessar a si mesmo que, por mais forte que puxasse a cabeça e as pernas para junto de si e apertasse o corpo ao chão, não seria capaz de aguentar aquela situação por muito tempo. Elas esvaziavam seu quarto para ele; tomavam tudo o que ele amava; o armário, dentro do qual se encontravam a serra de arco e outras ferramentas, elas já haviam carregado para fora; agora estavam soltando a escrivaninha, enterrada firmemente no chão, na qual ele havia escrito suas atividades quando era acadêmico de comércio, quando era ginasiano, até mesmo quando era estudante primário – então de fato ele não tinha mais tempo para provar as boas intenções das duas mulheres, cuja existência ele aliás quase já havia esquecido, pois elas trabalhavam mudas, tanto era o cansaço, e escutava-se apenas o sapatear pesado de seus pés.

E com isso ele irrompeu à frente – nesse exato momento as mulheres se apoiavam à escrivaninha no aposento ao lado, a fim de retomar um pouco o fôlego –, mudou quatro vezes a direção da corrida sem saber ao certo o que deveria salvar por primeiro; foi quando viu, pendurada sobre a parede agora vazia, a imagem da dama, toda vestida em pele, saltando aos olhos; arrastou-se com rapidez para cima, comprimindo seu corpo ao vidro, que o segurou e fez bem à sua barriga quente. Pelo menos essa imagem, que Gregor agora cobria de todo, com certeza ninguém haveria de levar embora. Ele virou a cabeça em direção à porta da sala a fim de observar as mulheres em seu retorno.

Elas não haviam se concedido um descanso muito grande e já estavam de volta; Grete deitara o braço em volta da mãe e quase a carregava:

– Pois bem, o que vamos levar agora? – disse Grete olhando à sua volta.

Foi então que os seus olhos se cruzaram com os de Gregor, na parede. Provavelmente apenas devido à presença da mãe ela manteve o controle, inclinou seu rosto em direção à mãe a fim de evitar que esta olhasse em volta e disse – em todo caso a tremer e sem refletir:

– Vem, será que não é melhor voltarmos por um instante à sala?

A intenção de Grete era clara para Gregor, ela queria pôr a mãe em segurança para em seguida obrigá-lo a descer da parede. Pois bem, tentar ela até poderia tentar! Ele estava sentado sobre o quadro e não o entregaria de jeito nenhum. Preferiria saltar sobre o rosto de Grete.

Mas as palavras de Grete acabaram por impacientar de vez a mãe, ela correu para o lado, vislumbrou a gigantesca imagem marrom sobre o papel floreado da parede e gritou, antes mesmo de ter consciência de que aquilo que ela via era Gregor, em voz áspera e esganiçada:

– Ah, meu Deus! Ah, meu Deus! – e caiu de braços abertos, como se desistisse de tudo, sobre o canapé, e não se moveu.

– Tu, Gregor! – exclamou a irmã de punhos levantados e olhar ameaçador.

Desde a metamorfose eram essas as primeiras palavras que a irmã endereçava diretamente a ele. Ela correu ao quarto vizinho a fim de buscar uma essência qualquer com a qual pudesse despertar a mãe de seu desmaio; Gregor também quis ajudar – para a salvação do quadro ainda havia tempo –, mas estava colado firmemente ao vidro e necessitou se livrar dele com violência;[37] depois correu também ao quarto vizinho, como se pudesse – do mesmo jeito que fazia em tempos passados – dar à irmã algum conselho; mas então teve de ficar parado atrás dela sem fazer nada; enquanto vasculhava em diversos frasquinhos, ela ainda acabou levando um susto ao se virar; um dos frascos caiu ao chão e quebrou; um estilhaço feriu Gregor no rosto,[38] algum remédio corrosivo correu por ele; Grete cuidou apenas em pegar a maior quantidade possível de frasquinhos, sem se demorar por mais tempo, e correu com eles para dentro, até onde estava a mãe; a porta ela bateu com o pé. Gregor agora estava separado por uma tranca da mãe, que por culpa dele talvez estivesse próxima da morte; a porta ele não deveria abrir, caso não quisesse afastar a irmã, que tinha de ficar junto da mãe; ele não tinha nada a fazer de momento a não ser esperar; e acossado por autocensuras e apreensão, começou a rastejar, rastejou por tudo, paredes, móveis e teto da sala até cair, enfim – dominado pelo desespero, ao sentir que o aposento inteiro começava a girar em volta dele –, sobre o meio da grande mesa.

---

37. A posição sexual – copular – de Gregor em relação ao retrato da dama libidinosamente vestida em pele, que já era clara desde o início da cena, agora fica evidente. A razão que o fez recortá-la da revista também fica mais clara de uma vez por todas. (N.T.)

38. A referência ao "rosto" é uma quebra humana no processo de animalização de Gregor, que já o fazia referir seu corpo como objeto, desprezando-o em caso de dor, e desejando que seu "quarto humano" fosse transformado em "toca". (N.T.)

Passou algum tempo e Gregor jazia ali, esgotado; em volta estava tudo em silêncio, talvez isso fosse um bom sinal. Foi quando a campainha tocou. A empregada naturalmente estava trancada na cozinha e por causa disso Grete teve de ir abrir a porta. O pai havia chegado.

– O que foi que aconteceu? – foram suas primeiras palavras; o aspecto de Grete por certo fez com que ele adivinhasse tudo.

Grete respondeu em voz abafada, obviamente comprimindo seu rosto ao peito do pai:

– A mãe desmaiou, mas agora já está melhor. Gregor fugiu.

– Eu bem que esperava por isso há tempo – disse o pai –, eu sempre disse a vocês, mas vocês mulheres não quiseram me escutar.

Para Gregor estava claro que o pai havia interpretado mal a informação demasiado curta de Grete, acreditando que Gregor era culpado de ter cometido algum ato de violência. Por causa disso, Gregor agora tinha de procurar sossegar o pai, pois para esclarecer-lhe tudo ele não tinha tempo nem possibilidade. E assim ele fugiu até a porta de seu quarto comprimindo-se a ela, a fim de que o pai ao entrar na sala de espera logo pudesse ver que Gregor tinha as melhores intenções de voltar de imediato para dentro de seu quarto, e que não seria necessário afastá-lo à força, mas apenas abrir-lhe a porta para que ele sumisse logo.

Mas o pai não se encontrava num estado de espírito capaz de perceber tais detalhes:

– Ah! – ele exclamou assim que havia entrado, e num tom que parecia revelar que estava ao mesmo tempo furioso e feliz.

Gregor afastou a cabeça da porta e levantou-a em direção ao pai. Assim como o pai se mostrava agora à sua frente ele realmente não o tinha imaginado; seja como for, absorto na novidade de rastejar por aí nos últimos tempos, deixara de se ocupar, como fazia antes, com os acontecimentos no restante da casa, e na verdade deveria estar preparado para lidar com situações bem diferentes. Mas apesar disso, apesar de tudo isso, aquele ainda era seu pai? O mesmo homem que jazia enterrado em seu leito nos tempos em que Gregor partia para uma viagem de negócios? Aquele que o recebia de pijama sobre a cadeira de braços nas noites em que retornava; que sequer se mostrava capaz de levantar, mas apenas erguia os braços em sinal de alegria, e que nos raros passeios de família, em alguns domingos do ano e nos feriados mais importantes, caminhava com esforço entre Gregor e a mãe – que por si sós já caminhavam bem devagar –, um pouco mais devagar ainda, empacotado dentro de seu velho sobretudo, e movendo-se à frente sempre com cuidado, apoiado à muleta, e que, quando queria dizer alguma coisa, quase sempre ficava parado em silêncio reunindo seus acompanhantes em volta de si? Agora, no entanto, ele estava até bastante ereto, vestindo um uniforme azul justo, de botões dourados, como os que os criados do instituto bancário usavam; sobre a gola alta e dura do casaco, destacava-se o forte queixo duplo; sob as sobrancelhas cerradas, os olhos escuros emitiam reflexos vívidos e atentos; o cabelo branco, outrora desgrenhado, estava penteado de um modo penosamente exato e brilhoso, dividido ao meio. Ele atirou o quepe – no qual estava gravado um monograma dourado, provavelmente o de um banco – sobre o canapé, fazendo-o descrever um arco e atravessando toda a extensão do quarto, e caminhou em direção a Gregor, o rosto irascível, as abas do comprido casaco do uniforme atiradas para trás, as mãos nos bolsos das calças. Com certeza nem ele mesmo sabia o que pretendia fazer; de qualquer modo, levantava os pés a uma altura incomum e Gregor ficou espantado com o tamanho gigantesco da sola de suas botas.[39] Mas não ficou nisso, sabia já desde o primeiro dia de sua nova vida que o pai, em relação a ele, considerava adequada apenas a severidade máxima. E assim corria diante do pai, hesitava quando o pai ficava parado, e voltava a se apressar mal o pai esboçava algum movimento. Fizeram a volta pelo quarto mais de uma vez procedendo assim, sem que acontecesse algum fato decisivo, sem que tudo aquilo até mesmo chegasse a ter o aspecto de uma perseguição, devido à lenta velocidade. Por isso é que Gregor se decidiu a ficar provisoriamente sobre o chão, uma vez que temia que o pai pudesse encarar uma fuga pelas paredes ou pelo forro como sendo

---

39. Aqui a onipotência paterna fica ainda mais declarada e Gregor se sente um inseto até o fundo. Ao mesmo tempo, pode-se notar que, paralelamente a Gregor, o pai também sofreu sua "metamorfose" e se manifesta "furioso e feliz". A figura paterna costuma aparecer representada em sentimentos de "ódio feliz" e de "desejo de violência" – como agente da condenação – na obra de Kafka. (N.T.)

uma maldade especial. Gregor tinha de confessar a si próprio, em todo caso, que não suportaria nem mesmo essa corrida por muito tempo; pois enquanto o pai dava um passo, ele tinha de encaminhar uma série incontável de movimentos. As dificuldades na respiração começavam a se tornar perceptíveis, o que não era nada anormal, uma vez que, mesmo em seus tempos passados, não havia possuído um pulmão totalmente digno de confiança.[40] Enquanto cambaleava de um lado para outro, pois, mal mantinha os olhos abertos, a fim de reunir todas as suas forças para a corrida; em seu embotamento, nem pensava em outra possibilidade de salvação que não fosse ficar correndo por aí; e quase já havia esquecido que as paredes estavam livres para ele, embora aqui elas permanecessem obstruídas por móveis entalhados com cuidado, cheios de saliências e reentrâncias – foi nesse momento que voou, passando de raspão ao seu lado, alguma coisa atirada de leve, que caiu rolando à sua frente. Era uma maçã; logo uma segunda voou em sua direção; Gregor ficou paralisado de susto; correr adiante era inútil, pois o pai havia se decidido a bombardeá-lo. Da fruteira sobre a credência ele havia enchido os bolsos e arremessava as maçãs uma a uma, sem cuidar em mirar com maior precisão. As pequenas maçãs vermelhas rolavam sobre o chão como se estivessem eletrizadas, chocando-se umas às outras. Uma maçã atirada sem força roçou as costas de Gregor, resvalando sem lhe causar dano. Outra, que foi atirada logo a seguir, pelo contrário,

40. Outra das muitas afinidades entre Gregor e Kafka. (N.T.)

literalmente penetrou nas costas de Gregor; Gregor quis se arrastar adiante, como se a dor surpreendente e incrível pudesse passar com a mudança de lugar; mas ele se sentia como se estivesse pregado ao chão e espichou seu corpo em completa confusão de todos os sentidos. Com o último olhar ainda viu a porta de seu quarto ser escancarada e a mãe correndo à frente da irmã, gritando em desespero, em roupas de baixo, uma vez que a irmã tivera de despi-la a fim de que ela respirasse com mais liberdade enquanto estava desmaiada; viu também como a mãe correu em direção ao pai a seguir, enquanto as saias desapertadas caíam uma a uma no caminho, e como ela, tropeçando sobre as saias, caiu sobre o pai, abraçando-o, em completa união com ele – mas nesse momento a vista de Gregor já falhava[41] –, implorando com as mãos sobre a nuca do pai, para que ele poupasse a vida de Gregor.

---

41. Kafka, seguindo a mitologia, relaciona o conflito edipiano – o pai vence a disputa pela mãe, que ele vira em roupas de baixo, caindo junto dela em perfeita união – com a cegueira, assim como ela aparece referida em Sófocles. (N.T.)

III

O grave ferimento de Gregor, que o fez sofrer por mais de um mês – a maçã ficou, uma vez que ninguém teve coragem de retirá-la, alojada na carne como recordação visível[42] –, pareceu lembrar inclusive ao pai que Gregor, apesar de sua atual figura, tristonha e repulsiva, era um membro da família, que não devia ser tratado como um inimigo, mas diante do qual o mandamento do dever familiar impunha engolir a aversão e suportar, nada mais que suportar.

E mesmo que Gregor agora tivesse perdido, provavelmente para sempre, alguns de seus movimentos por causa da ferida, e de momento se comportasse como um velho inválido ao atravessar seu quarto, necessitando longos, longos minutos para fazê-lo – em rastejar para o alto não se podia nem sequer pensar –, ele acabou recebendo, segundo sua

---

42. A maçã já foi interpretada por vários analistas da obra de Kafka como referência ao relato bíblico da Queda, e aqui isso parece tornar-se evidente. Ela parece ser, de fato, a marca do "pecado original", que em Kafka – em Gregor – é semelhante ao "pecado de existir". O crítico Hellmuth Kayser vai além. Depois de referir que Gregor só é – sempre – atingido por trás, ele vê na maçã cravada nas costas um desejo masoquista de fecundação, um *coitus per anum* incestuoso. (N.T.)

opinião, uma compensação inteiramente satisfatória para a piora de seu estado; a porta da sala, que antes ele já cuidava observar com atenção durante duas ou três horas, agora era aberta todos os dias quando chegava a noite, de modo que ele, deitado na escuridão de seu quarto, invisível para quem estivesse na sala, podia ver a família inteira reunida em volta da mesa iluminada e ouvir, em certo sentido com a permissão geral, suas conversas, portanto de uma maneira bem diferente de antes.

Na verdade não eram mais as conversações animadas de tempos passados, nas quais Gregor não parava de pensar com saudades nos pequenos quartos de hotel em que ficava, quando tinha de se atirar, cansado, sobre os lençóis úmidos. Agora tudo se passava, na maior parte das vezes, de um modo bem calmo. O pai adormecia em pouco tempo depois da janta, sentado sobre sua cadeira; a mãe e a irmã advertiam uma à outra, lembrando a necessidade do silêncio; a mãe costurava, muito inclinada sob a luz, roupas de baixo para uma firma de moda; a irmã, que havia aceito um emprego como vendedora, estudava estenografia e francês à noite, a fim de talvez conseguir um emprego melhor mais tarde. Às vezes o pai acordava, e como se nem soubesse que estivera dormindo, dizia à mãe:

– Quanto tempo já estás costurando hoje de novo! – e voltava a dormir em seguida, enquanto a mãe e a irmã olhavam cansadas uma à outra, sorrindo.

Devido a uma espécie de teimosia, o pai recusava-se a tirar, também em casa, seu uniforme de funcionário; e enquanto o pijama ficava pendurado, inútil, no armário, o pai cochilava, completamente vestido, sobre sua cadeira, como se estivesse sempre pronto ao serviço e também ali apenas esperasse a voz de seu superior.[43] Por causa disso o uniforme, que mesmo no começo não era de todo novo, perdia em limpeza, apesar de todos os cuidados da mãe e da irmã, e Gregor olhava, às vezes durante serões inteiros, para essa vestimenta – que dia a dia se enchia mais de manchas, mas permanecia lustrosa no polimento diário de seus botões de ouro –, na qual o homem dormia de um jeito sumamente desconfortável, mas apesar disso tranquilo.

Assim que o relógio batia as dez, a mãe procurava despertar o pai por meio de invocações baixinhas, para depois convencê-lo a ir para a cama, pois ali com certeza não teria um sono direito, e este era absolutamente necessário a ele, que tinha de entrar bem cedo, às seis horas, em seu emprego. Mas na teimosia que passara a tomar conta dele desde que se tornara funcionário, ele sempre insistia em ficar por mais tempo junto à mesa, embora acabasse sempre por dormir sobre ela e além de tudo apenas pudesse ser convencido a trocar a cadeira pela cama com muita dificuldade. Então, por mais que a mãe e a irmã o pressionassem com pequenas admoestações, ele sempre balançava a cabeça com vagor por cerca de quinze minutos, mantinha os olhos fechados e não se levantava. A mãe puxava-o pela manga, dizia-lhe

43. Outra situação típica em Kafka. O homem avilta sua personalidade em favor da ordem superior. Sacrifica seu gozo privado em favor do trabalho. Nesse tipo de reflexão Kafka abrange toda a ordem social e econômica de seu tempo. (N.T.)

palavras lisonjeiras ao ouvido, a irmã deixava suas atividades a fim de ajudar a mãe, mas o pai nem dava bola para isso. Apenas mergulhava mais ainda em sua cadeira. Só quando as mulheres o agarravam por baixo dos braços é que ele abria os olhos e fitava ora a mãe ora a irmã, cuidando em dizer:

– Isso sim é que é vida. É essa a paz que eu precisava em meus últimos dias. – E apoiando-se sobre as duas mulheres, ele se levantava com dificuldades, como se fosse para si mesmo o maior fardo, deixava que as mulheres o conduzissem até a porta, acenava-lhes de lá e seguia sozinho adiante, enquanto a mãe jogava de lado seus instrumentos de costura e a filha sua caneta, a fim de correrem atrás do pai para continuarem a ajudá-lo.

Quem tinha tempo de se preocupar com Gregor, mais do que o estritamente necessário, nessa família sobrecarregada e esgotada? O orçamento doméstico era reduzido cada vez mais; a empregada acabou sendo despedida no final das contas; uma faxineira gigantesca e ossuda, de cabelos brancos a esvoaçarem em volta da cabeça, vinha pela manhã e à tardinha a fim de fazer o serviço mais pesado; a mãe tomava conta do resto, junto com seus muitos trabalhos de costura. Aconteceu inclusive que várias das joias da família, que a mãe e a irmã carregavam com suprema felicidade em reuniões e festividades, tiveram de ser vendidas, conforme Gregor veio a saber nas conversações gerais da noite.[44] Mas a maior

---

44. Outro símbolo – crítico – da vida burguesa. O mesmo pode ser dito dos móveis entalhados, cheios de saliências e reentrâncias referidos por Gregor no final do capítulo anterior e mencionado por Kafka também em seus *Diários*. (N.T.)

queixa era sempre a de que não podiam deixar aquela casa, demasiado grande para a atual situação, porque não eram capazes de imaginar como poderiam mudar Gregor junto. Mas Gregor percebeu bem que não era apenas a consideração em relação a ele que impedia uma mudança, pois ele poderia ser transportado com facilidade numa caixa adequada, com alguns buracos por onde pudesse respirar; o motivo principal que detinha a família em seus projetos de mudar de casa era, muito antes, a desesperança total e o pensamento de que haviam sido golpeados por uma desgraça semelhante a qual ninguém mais havia sido golpeado em todo o círculo de parentes e conhecidos. O que o mundo exigia de pessoas pobres, eles cumpriam ao extremo; o pai levava o café da manhã aos pequenos funcionários do banco, a mãe se sacrificava pelas roupas de pessoas estranhas, a irmã andava segundo as ordens dos fregueses para lá e para cá atrás do balcão,[45] mas mais do que isso as forças da família não alcançavam. E a ferida nas costas de Gregor começou a lhe doer de novo, como se fosse recente, quando mãe e irmã, depois de terem levado o pai para a cama, voltaram, deixaram seus trabalhos de lado, aproximaram-se uma da outra, sentando-se face a face, e a mãe disse, apontando ao quarto de Gregor:

– Vá lá e feche a porta, Grete! – Então Gregor voltou a ficar no escuro, enquanto no aposento ao lado as mulheres misturavam suas lágrimas ou

---

45. Aqui a crítica também aparece. A temática do que o "mundo exige de pessoas pobres" e das vítimas da ordem social, aparece também no *Woyzeck,* de Georg Büchner, um dos autores preferidos de Kafka, junto com Heinrich von Kleist. (N.T.)

ficavam sentadas à mesa, de olhos secos, fitando o vazio à sua frente.

Gregor passava as noites e os dias praticamente sem dormir nada. Por vezes pensava em, assim que a porta se abrisse de novo, voltar a tomar nas mãos os assuntos da família, exatamente conforme fazia no passado; em seus pensamentos, depois de muito tempo, voltavam a surgir o chefe e o gerente, voltava a se lembrar dos caixeiros e dos aprendizes, do contínuo tão estúpido, de dois ou três amigos de outras firmas, de uma criadinha de um hotel do interior – uma lembrança amável e fugidia –, de uma moça que trabalhava no caixa de uma loja de chapéus – que ele havia cortejado séria mas demasiado lentamente –; todos eles apareceram misturados a estranhos ou pessoas já esquecidas, mas ao invés de ajudarem a ele e à sua família, mostraram-se todos inacessíveis, e ele ficou feliz quando sumiram de vez. Logo depois voltava a não ter a mínima disposição para se preocupar com sua família, apenas sentia ódio pelos maus tratos a que era submetido e, apesar de não conseguir imaginar algo que pudesse lhe despertar o apetite, fazia planos para invadir a despensa, para ali pegar tudo o que lhe era devido, ainda que não tivesse fome. Agora, sem pensar mais no que pudesse agradar a Gregor, a irmã empurrava com o pé, às pressas, algum tipo de comida qualquer para dentro do quarto de Gregor, antes de correr ao serviço pela manhã e à tarde, para ao anoitecer, pouco importando se esta havia sido apreciada ou – era o que acontecia na maior parte das vezes – sequer tocada, varrê-la para fora com uma vassourada. A arrumação do quarto, que ela a partir de então sempre providenciava à noite, não poderia ser mais rápida. Listras de sujeira se pintavam ao longo das paredes; aqui e ali havia montes de pó e lixo. Nos primeiros tempos, mal a irmã chegava, Gregor se postava exatamente nos cantos mais marcados pela sujeira, a fim de fazer-lhe, em certo sentido, uma censura através de sua posição. Mas ele com certeza poderia ficar lá durante semanas, sem que a irmã por isso se corrigisse; claro que ela via a sujeira do mesmo modo como ele a via, no entanto, acabava se decidindo a deixá-la onde estava. Ao mesmo tempo mostrava uma sensibilidade que nela era de todo nova e acabara por contagiar toda a família, e cuidava para que a arrumação do quarto de Gregor ficasse reservada ao seu encargo. Certa vez a mãe submeteu o quarto de Gregor a uma grande limpeza, na qual apenas logrou êxito depois de utilizar várias tinas de água – a umidade excessiva, entretanto, também adoecia Gregor, e ele ficou deitado ao largo, amargurado e imóvel sobre o canapé –; mas o castigo a que a mãe foi submetida não demorou. Pois, mal a irmã percebeu a mudança no quarto de Gregor ao anoitecer, e já se mostrou bastante ofendida, correu pela sala e, apesar das mãos suplicantemente elevadas da mãe, rebentou num acesso de choro, que foi acompanhado pelos pais – o pai naturalmente assustou-se, saltando de seu sofá –, primeiro de forma perplexa e desamparada, até que também eles se sentiram tocados; o pai censurava a mãe à direita por não ter deixado aos encargos da filha a limpeza do quarto de Gregor, ao passo em que à esquerda gritava para a filha que não deveria limpar nunca mais o quarto de Gregor; enquanto a mãe procurava arrastar o pai, que nem sabia mais onde estava de tanta excitação, ao quarto, a irmã, sacudida pelos soluços, tamborilava à mesa com os pequenos punhos;[46] e Gregor, de tanta raiva, sibilava alto, por não ter ocorrido a ninguém fechar a porta a fim de poupá-lo dessa cena e do barulho.

No entanto, ainda que a irmã, esgotada por causa do serviço no emprego, estivesse cansada de se ocupar de Gregor como fazia antes, não havia razão nenhuma para a mãe intervir, e mesmo assim Gregor não precisaria ter sido deixado de lado. Pois agora eles tinham a faxineira à disposição. Essa velha viúva, que em sua longa vida devia ter suportado o que havia de pior com a ajuda de sua robusta constituição óssea, não chegava a ter propriamente aversão a Gregor. Sem manifestar qualquer tipo de curiosidade, ela um dia abrira, por acaso, a porta do quarto de Gregor e, à vista dele – que, pego de surpresa, corria de um lado para o outro embora ninguém o perseguisse –, ficou parada, espantada, as mãos cruzadas sobre o colo. Desde então jamais perdeu a oportunidade de, pela manhã e à tardinha, sempre de forma breve, abrir a porta um pouco e olhar para onde estava Gregor. No começo ela também o chamava ao seu encontro, com palavras que ela provavelmente considerava amistosas como,

---

46. Aqui está sinalizada a transformação – em direção à intolerância paterna – definitiva da irmã. (N.T.)

“Vem um pouquinho aqui, rola-bosta!” ou “Olha só o velho rola-bosta!”[47] A tais chamados Gregor não respondia nada, mas ficava imóvel no seu lugar, como se a porta não tivesse sido aberta. Se pelo menos tivessem dado ordens à faxineira para que, ao invés de deixá-la perturbar Gregor de maneira desnecessária e segundo seu humor, limpasse seu quarto todos os dias! Certa vez, de manhã bem cedo – uma chuva violenta, talvez um sinal do princípio da primavera, batia nas vidraças –, Gregor estava de tal modo amargurado quando a faxineira começou com suas expressões, que pareceu pôr-se em posição de atacá-la, ainda que o tivesse feito de forma lenta e debilitada. Mas a faxineira, ao invés de sentir medo, apenas levantou à frente um assento que se encontrava perto da porta, e do jeito que estava parada ali, com a boca de todo escancarada, era clara sua intenção de fechar a boca só quando a cadeira em suas mãos tivesse golpeado as costas de Gregor.

– E então, não vais continuar? – perguntou ela, quando Gregor fez marcha-ré, voltando a colocar o acento com calma no canto onde estava.

---

47. Kafka havia pedido encarecidamente a seu editor que evitasse desenhar, mesmo de longe, a figura de Gregor. Aqui a nova empregada – uma mulher do povo, proletária, que vê Gregor com a objetividade que a família não tem, sem sentir amor, mas também sem sentir desprezo – dá a única referência mais objetiva em relação à forma de Gregor. Não o refere como animal, como inseto daninho, mas apenas como (besouro) “rola-bosta”. Mas o que é objetivo pode ser tanto mais difuso, uma vez que *Mistkäfer* (rola-bosta) pode-se referir também e inclusive a uma pessoa suja e descuidada, ou tratar de um escaravelho qualquer, uma vez que é designação comum a insetos coleópteros, coprófagos e escarabeídeos, que em geral vivem de excrementos de mamíferos herbívoros. (N.T.)

Agora Gregor praticamente não comia mais nada. Apenas quando passava por acaso pela comida que lhe deixavam, é que, para brincar, tomava um bocado, mantendo-o na boca durante horas e cuspindo-o para fora na maior parte das vezes depois disso. Primeiro pensou que fosse a tristeza devida ao estado de seu quarto que o impedia de comer, mas foi justamente com as mudanças do quarto que ele fez as pazes bem cedo. Haviam se acostumado a colocar no quarto de Gregor as coisas que não poderiam ser postas em nenhum outro lugar, e havia muitas dessas coisas, uma vez que um dos quartos do apartamento havia sido alugado a três inquilinos. Esses senhores sisudos – todos os três tinham barba, conforme Gregor pôde assegurar certa vez através da fresta na porta – eram obcecados pela ordem, não apenas em seu quarto, mas, uma vez que tomavam parte no aluguel, na casa inteira, em especial na cozinha. Não suportavam tralhas inúteis, ou até mesmo sujas.[48] E, ainda por cima, haviam trazido junto, na maior parte, sua própria mobília. Por causa disso, muitas das coisas tornaram-se supérfluas, coisas que, apesar de não poderem ser vendidas, eles também não queriam jogar fora. E todas elas foram transferidas para o

48. Os três inquilinos, uma tríade homogênea, são caricaturas da pequena-burguesia diligente, organizada e tirana (conforme se verá a seguir), quando dona de algum poder. Em seu modo de agir chegam a ser de uma comicidade absurda e certamente são um reflexo das seguidas visitas de Kafka ao teatro judeu, em Praga. Os inquilinos têm importante função na história pois é através deles que a metamorfose de Gregor volta ao debate e é elevada em definitivo à categoria de grotesca e absurda ao fim. (N.T.)

quarto de Gregor. Inclusive a lata de cinza e a lata de lixo da cozinha. Tudo o que não era usado de imediato, a faxineira – que sempre queria fazer tudo às pressas – simplesmente arremessava para dentro do quarto de Gregor; por sorte Gregor na maior parte das vezes apenas via o referido objeto e a mão que o segurava. A faxineira talvez tivesse a intenção de, com o tempo e caso surgisse a oportunidade, voltar a tirar as coisas de lá ou tirar todas elas juntas de uma só vez; mas na verdade elas acabavam ficando lá, no mesmo lugar onde haviam sido jogadas, caso Gregor não se locomovesse no meio do entulho e as pusesse em movimento, a princípio de modo forçado, uma vez que sequer restava espaço para rastejar, e mais tarde com prazer crescente, ainda que depois de tais caminhadas ele se sentisse morto de cansaço e de tristeza, ficando imóvel durante horas.

Visto que os inquilinos às vezes também jantavam em casa, na sala de estar de uso comum, a porta desta ficava trancada em algumas das noites; mas Gregor renunciou sem nenhum problema à abertura da porta; ele já havia, de qualquer modo, deixado de utilizá-la em algumas das noites em que estava aberta, preferindo ficar deitado, sem que a família o notasse, no canto mais escuro de seu quarto. Certa vez, no entanto, a faxineira havia deixado a porta da sala um tantinho aberta; e ela ficou assim, entreaberta, também quando os inquilinos chegaram, à noite, e a luz foi acesa. Eles sentaram-se à cabeceira da mesa, nos lugares onde em tempos passados o pai, a mãe e Gregor costumavam sentar, desdobraram os guardanapos e empunharam garfo e faca. De imediato apareceu a mãe na porta, com uma travessa de carne, e logo depois dela a irmã com uma travessa de batatas empilhadas bem alto. A comida fumegava soltando um forte vapor. Os inquilinos inclinaram-se sobre as travessas postas diante deles, como se quisessem avaliá-las antes de comer, e o senhor que estava sentado ao meio e parecia ter papel de autoridade em relação aos outros dois, de fato cortou um pedaço de carne ainda na travessa, sem dúvida para verificar se ela estava macia o suficiente e não precisaria ser, talvez, mandada de volta à cozinha. Ele mostrou-se satisfeito e a mãe e a irmã, que haviam observado tudo ansiosas, esboçaram um sorriso, respirando aliviadas.

A família mesmo comeu na cozinha. Apesar disso o pai, antes de ir à cozinha, entrou na sala, fez uma única inclinação e deu uma volta ao redor da mesa com o quepe na mão. Os inquilinos levantaram-se e murmuraram alguma coisa de dentro de suas barbas. Quando então ficaram sós, comeram num silêncio quase completo. Pareceu estranho a Gregor que, em meio a toda variedade de ruídos feitos no ato de comer, se destacasse sempre de novo o som de seus dentes mastigando; como se com isso quisessem mostrar a Gregor que era preciso ter dentes para comer e que mesmo com a mais bela das mandíbulas desdentadas não se podia fazer nada. "Eu até tenho apetite", disse Gregor a si mesmo, cheio de preocupação, "mas não por essas coisas. Como se alimentam esses inquilinos, e eu aqui morrendo de fome!"[49]

Justo naquela noite o violino – Gregor não se lembrava de tê-lo ouvido tocar durante todo aquele tempo – soou na cozinha. Os inquilinos já haviam terminado sua janta, o do meio havia puxado um jornal e dado a cada um dos outros uma folha, e agora se recostavam a cadeira e fumavam. Quando o violino começou a tocar, eles ficaram atentos, levantaram-se e foram na ponta dos pés até a porta da sala de espera, junto à qual pararam, espremidos uns contra os outros. Deveriam tê-los escutado também na cozinha, pois o pai gritou:

– Será que a música não incomoda aos senhores? Ela pode ser interrompida imediatamente.

– Pelo contrário – disse o senhor do meio. – Será que a senhorita não quer vir até nós e tocar aqui na sala, onde sem dúvida é muito mais cômodo e confortável?

– Oh, pois não! – gritou o pai, como se fosse ele quem estivesse tocando. Os senhores voltaram à sala e esperaram. Logo veio o pai com a estante da partitura, a mãe com a partitura e a irmã com o violino. A irmã preparou tudo em silêncio para tocar; os pais, que jamais haviam alugado quartos antes, exageravam, por causa disso, nas gentilezas com os inquilinos, e nem ousavam sentar em suas próprias cadeiras; o pai inclinou-se sobre o trinco da porta, a mão direita enfiada entre dois botões do casaco

49. Em várias das histórias de Kafka, a vontade de viver aparece representada nos dentes. Em "Um artista da fome" é exatamente assim, a liberdade e a vontade de viver estão completamente insertas na possibilidade de "morder", na "mordida". (N.T.)

do uniforme,[50] que ele mantinha fechado; a mãe, no entanto, aceitou a cadeira oferecida por um dos senhores e sentou-se à parte, uma vez que deixou a cadeira no lugar onde o senhor a havia posto por acaso, num canto da sala.

A irmã começou a tocar; o pai e a mãe, cada um do seu lado, acompanhavam atentos os movimentos de suas mãos. Gregor, atraído pela música, ousara avançar um pouco e já estava com a cabeça dentro da sala de estar. Quase não se surpreendia mais pelo fato de, nos últimos tempos, adotar tão pouca consideração no que respeitava aos outros; ia longe o tempo em que essa mesma consideração havia sido seu orgulho. E, no entanto, talvez fosse justo agora que ele deveria ter mais motivo para se esconder, pois devido ao pó que se juntara em seu quarto, encontrava-se por todos os lados e levantava ao menor movimento, também ele estava coberto de pó, fiapos, cabelos, restos de comida, e arrastava tudo por aí sobre as costas e dos lados de seu corpo; sua indiferença em relação a tudo era demasiado grande para que ele, conforme fazia no passado mais de uma vez ao dia, se deitasse de costas sobre o tapete, esfregando-se nele a fim de se limpar. E apesar desse estado ele não tinha nenhuma vergonha de se adiantar um bom pedaço no piso imaculado da sala de estar.

Seja como for, ninguém dava atenção a ele. A família estava totalmente absorvida pelo violino; os

50. Forte ironia. O pai, totalmente submisso aos inquilinos, adota a clássica posição napoleônica. (N.T.)

inquilinos, ao contrário – que no início, colocando as mãos nos bolsos das calças, haviam se aproximado demais da irmã, ficando atrás da estante da partitura, de modo que todos poderiam ver as notas, o que com certeza importunava a irmã –, logo se retiraram para a janela, de cabeças meio abaixadas e falando a meia voz, onde acabaram ficando, observados pelo olhar preocupado do pai. De fato aquilo agora tinha a aparência mais do que nítida de que estavam decepcionados em sua expectativa de ouvir um violino ser tocado de maneira agradável ou até divertida, de que estavam saturados de toda a apresentação e apenas por cortesia ainda se deixavam perturbar em seu sossego. Em especial o modo com que todos sopravam a fumaça de seus charutos para o alto, através do nariz e da boca, permitia deduzir o tamanho de seu nervosismo. E no entanto a irmã tocava com tanta beleza! O rosto dela estava inclinado para o lado; perscrutadores e tristes, seus olhares seguiam as linhas da partitura. Gregor rastejou mais um pedaço à frente e manteve a cabeça colada ao chão, no provável intuito de encontrar os olhares dela. Era ele um animal, uma vez que a música o tocava tanto? Parecia-lhe que enfim se abria para ele o caminho ao alimento almejado e desconhecido. Estava decidido a chegar até a irmã, puxá-la pela saia a fim de lhe indagar com isso se ela não queria talvez vir a seu quarto com o violino, pois ninguém na sala pagava por sua música tanto quanto ele desejava pagar. Não queria mais deixá-la sair de seu quarto, pelo menos não enquanto estivesse vivo;

sua figura assustadora pela primeira vez teria de se tornar útil; ele queria estar em todas as portas de seu quarto ao mesmo tempo e bufar contra todos os agressores; no entanto, a irmã não deveria ficar com ele obrigada, mas de livre e espontânea vontade; ela deveria ficar sentada ao lado dele sobre o canapé, o ouvido inclinado para ele, e ele queria lhe confiar então que havia tido o firme propósito de mandá-la ao conservatório e que teria comunicado isso a todos no Natal passado – será mesmo que o Natal já havia passado? –, se não tivesse acontecido a desgraça, sem se preocupar com qualquer tipo de discurso contrário. Depois dessa explicação a irmã haveria de romper em lágrimas de comoção e Gregor se ergueria até alcançar os seus ombros para beijar seu pescoço, que ela trazia livre, sem fita ou colarinho, desde que passara a trabalhar na loja.[51]

– Senhor Samsa! – exclamou o senhor do meio, dirigindo-se ao pai e apontando o dedo indicador, sem perder mais nenhuma palavra, a Gregor, que se aproximava em movimentos lentos. O violino emudeceu, o inquilino do meio primeiro sorriu para

51. Aqui fica – definitivamente – claro o desejo incestuoso de Gregor, já revelado anteriormente na observação detalhada – por vezes enciumada – das roupas da irmã. E ele quer "pagar" para que ela vá a seu quarto, suborná-la, coisa que se encaixa diretamente no pensamento de Gregor em relação às mulheres. A irmã é sua válvula de escape para o fracasso em relação às outras mulheres (a criadinha, a caixa da loja e todos os contatos humanos rápidos de sua vida de viajante, já referidos no início). Hartmut Binder, em seus comentários a respeito dos contos de Kafka, deixa claro que o sentimento de Gregor por Grete reflete o sentimento – com um forte "componente sexual" – de Kafka por sua irmã mais nova, chamada Ottla (ver *Cronologia Biobibliográfica*, ao final). (N.T.)

os amigos, balançando a cabeça, e depois voltou a olhar para Gregor. O pai parecia considerar mais urgente acalmar os inquilinos por primeiro, ao invés de expulsar Gregor, embora eles não se mostrassem nem um pouco agitados e Gregor parecesse diverti-los mais que a música do violino. Correu até eles e procurou forçá-los a se dirigir ao quarto abrindo os braços e, ao mesmo tempo, tentando ocultar-lhes a visão de Gregor utilizando seu corpo. Então eles ficaram de fato um tanto bravos e já não se sabia mais se por causa do comportamento do pai ou por causa daquilo que só agora parecia atingir-lhes a consciência: o conhecimento de terem, sem o saber, possuído um vizinho de quarto como Gregor. Exigiram explicações do pai, levantaram eles mesmos seus braços, puxaram impacientes em suas barbas e apenas recuavam a seu quarto com lentidão. Nesse meio tempo a irmã havia superado o desligamento em que havia caído após a interrupção repentina da música; depois de ter permanecido durante algum tempo com o violino e o arco nas mãos pendentes e bambas, e de ter olhado para a partitura como se ainda estivesse tocando, ela havia se recomposto de uma vez, deitado o instrumento sobre o colo da mãe, que ainda estava sentada sobre sua cadeira sentindo dificuldades de respirar e com os pulmões trabalhando em frenesi, e correra para o quarto ao lado, do qual os inquilinos se aproximavam com rapidez ainda maior, sob a pressão insistente do pai. Podia-se ver como, sob as mãos experimentadas da irmã, as cobertas e travesseiros da cama voavam para o alto, caindo em ordem sobre a cama. Antes mesmo de os senhores terem chegado ao quarto, ela já estava pronta com a arrumação das camas e havia se esgueirado para fora. O pai parecia acometido outra vez de tal maneira por sua teimosia, que esqueceu de qualquer respeito devido a seus inquilinos. Apenas pressionava e pressionava, até que, quando já estavam na porta do quarto, o senhor do meio bateu o pé, trovejante, ao chão, levando o pai a parar através disso:

– Declaro, por este meio – disse ele, levantando a mão e procurando também a mãe e a irmã com os olhos –, que eu, levando em conta as condições repulsivas reinantes nessa casa – ao dizer isso cuspiu ao chão, rápido e decidido –, rescindo, neste momento, o contrato de aluguel do meu quarto. Naturalmente também não haverei de pagar, o mínimo que seja, pelos dias em que aqui morei, mas, ao contrário, haverei de refletir para ver se não movo alguma ação estabelecendo reivindicações que, o senhor acredite, serão muito fáceis de fundamentar.[52]

Ele silenciou e olhou direto à sua frente, como se esperasse alguma coisa. E de fato seus dois amigos logo entraram no assunto com as palavras:

– Também nós rescindimos neste momento o contrato de aluguel.

Depois disso ele agarrou a maçaneta e bateu a porta com um estrondo.

O pai cambaleou, com as mãos tateantes, em busca de sua cadeira e deixou-se cair sobre ela; pare-

---

52. A linguagem cartorial característica de Kafka, relativamente pobre no vocabulário, singular – ainda que impessoal – no estilo e taxativa na sintaxe, é levada à exacerbação nesse trecho. (N.T.)

cia que ele se espichava para a sua soneca habitual do anoitecer, mas o forte inclinar de sua cabeça, que ele parecia não conseguir sustentar mais, mostrava que ele estava bem longe de dormir. Gregor permaneceu todo esse tempo deitado calmamente no mesmo lugar em que os inquilinos o haviam surpreendido. A decepção com o fracasso de seu plano, mas talvez também a fraqueza ocasionada pela grande fome que passava, tornavam-lhe impossível o ato de se movimentar. Ele já temia, com uma certa segurança, o instante seguinte, em que uma avalanche geral seria descarregada sobre ele; e apenas esperava. Nem mesmo o violino, que resvalou à frente escapando aos dedos tremebundos da mãe e caindo do colo ao chão num som retumbante, foi capaz de assustá-lo.

– Queridos pais – disse a irmã, e bateu a mão sobre a mesa em forma de introdução –, assim não dá mais. Se vocês talvez não são capazes de ver isso, eu o vejo muito bem. Não quero pronunciar o nome de meu irmão diante desse monstro e por isso digo apenas o seguinte: temos de procurar um jeito de nos livrar dele. Tentamos tudo o que era humanamente possível para cuidar dele e suportá-lo, e acredito que ninguém pode nos fazer a menor censura.

"Ela tem mil vezes razão", disse o pai a si mesmo. A mãe, que ainda não conseguia alcançar ar suficiente, começou a tossir cavamente na mão segurada em frente de sua boca, com uma expressão alucinada nos olhos.

A irmã correu para a mãe e segurou-lhe a testa. O pai, que através das palavras da irmã parecia ter sido levado a pensamentos mais definidos, havia se sentado em posição ereta, brincava com seu quepe de funcionário entre os pratos – que ainda estavam sobre a mesa desde o jantar dos inquilinos – e de vez em quando olhava para Gregor, quieto em seu lugar.

– Nós temos de procurar nos livrar disso[53] – disse a irmã, agora dirigindo-se apenas ao pai, pois a mãe não ouvia nada em sua tosse. – Isso ainda vai acabar matando nós dois, vejo o momento em que isso acontecerá. Quando se tem de trabalhar tão pesado como nós todos, não se pode suportar inclusive em casa mais esse tormento eterno. Eu também já não aguento mais.

E rompeu num choro tão violento que suas lágrimas caíram sobre o rosto da mãe, que as secava com movimentos mecânicos de mão.

– Filha – disse o pai, compassivo, e manifestando uma compreensão pouco característica –, mas o que nós podemos fazer?

A irmã apenas deu de ombros, mostrando a desorientação total que tomara conta dela durante o choro e se evidenciava completamente diferente da segurança que sempre demonstrou.

– Se ele nos entendesse – disse o pai, meio a perguntar; no meio do choro a irmã sacudiu a mão com violência, mostrando que nem sequer se poderia pensar nisso.

---

53. No original alemão aparece, tão somente, a partícula *es*, que é o pronome pessoal neutro e pode se referir ao monstro (também neutro no alemão) mencionado por Grete anteriormente. Em todo caso o *es* soa ofensivo no original, e tendo em vista que a distância da menção já vai grande, um simples "dele" pareceria demasiado ameno, sendo que o "disso" alcança mais ou menos o mesmo efeito. (N.T.)

– Se ele nos entendesse – repetiu o pai, e com um fechar de olhos acolheu a convicção da irmã sobre essa impossibilidade –, então talvez fosse possível fazer um acordo com ele. Mas assim...

– Isso tem de sair daqui – exclamou a irmã –, é o único meio, pai. Tu simplesmente tens de te livrar do pensamento de que é Gregor. Que tenhamos acreditado por tanto tempo, essa é que é a nossa verdadeira desgraça. Mas como é que pode ser Gregor? Se fosse Gregor, ele já teria compreendido há tempo que o convívio de seres humanos com um bicho assim não é possível, e teria ido embora de vontade própria. Caso isso acontecesse nós não teríamos irmão,[54] mas poderíamos seguir vivendo e honrar sua memória. Mas assim esse bicho nos persegue, expulsa os inquilinos, obviamente quer tomar para si o apartamento inteiro e fazer com que nós passemos a noite na rua. Olha só, pai – ela gritou de repente –, ele já está começando de novo!

E num susto totalmente incompreensível para Gregor, ela chegou a abandonar a mãe, literalmente dando um salto de sua cadeira ao chão, como se preferisse sacrificar a mãe a ficar próxima de Gregor, e correu em direçao ao pai que, excitado tão só pelo comportamento dela, também deu um salto e levantou seus braços à meia altura diante da irmã, como se quisesse protegê-la.

Mas a Gregor nem de longe ocorria a intenção de causar medo a alguém, quem quer que fosse, e

54. Aqui a abstração das "categorias familiares" ultrapassa o narrador e é estendida à irmã. Embora seja a irmã quem fala, e embora se dirija ao pai, Gregor é mais uma vez referido genericamente como irmão, sem pronome possessivo e como se fosse, inclusive, irmão do pai. (N.T.)

menos ainda à sua irmã. Ele apenas havia começado a girar o corpo a fim de voltar a seu quarto, e isso, em todo caso, acabara chamando a atenção, uma vez que devido a seu estado lamentável ele tinha de, nos giros mais complicados, ajudar com a cabeça, que ao se mover ele levantava e batia ao chão por várias vezes. Parou e olhou em torno. Sua boa intenção pareceu ser enfim reconhecida; havia sido apenas um susto momentâneo. Agora todos o fitavam silenciosos e tristes. A mãe, deitada em sua cadeira, com as pernas espichadas e coladas uma à outra, e as pálpebras quase caindo sobre os olhos de tanta exaustão; o pai e a irmã estavam sentados um ao lado do outro, a irmã havia deitado sua mão em volta do pescoço do pai.

"Bem, agora talvez eu já possa me virar", pensou Gregor, e voltou a retomar seu trabalho. Ele não conseguia reprimir o resfolegar do esforço e tinha também de descansar aqui e ali. De resto, ninguém o pressionava mais, e ele agora poderia se virar sozinho. Quando havia completado seu giro, começou de imediato a seguir direto em frente, voltando ao quarto. Surpreendeu-se com a grande distância que o separava de seu quarto e nem sequer entendeu como havia feito, quase sem o perceber, o mesmo caminho há pouco, dada a sua fraqueza. Sempre adiante e com o pensamento fincado apenas em rastejar rápido, mal prestou atenção ao fato de que nenhuma palavra, nenhum chamado de sua família o perturbava. Só quando já estava na porta, voltou a cabeça – não completamente, pois sentia o pescoço endurecer –, chegando a ver que nada havia se alterado atrás dele, a não ser que a irmã havia levantado. Seu último olhar percorreu a mãe, que agora adormecera de vez.

Mal havia chegado dentro de seu quarto e a porta foi fechada às pressas, travada e trancada. Gregor assustou-se tanto com o barulho repentino atrás de si que suas perninhas se dobraram. Era a irmã que havia se apressado tanto. Ela já estava parada há tempo, apenas esperando, para depois saltar adiante em passos leves; Gregor nem sequer chegou a ouvi-la, e ela gritou um "Finalmente!" aos pais, enquanto girava a chave na fechadura.

"E agora?", Gregor perguntou a si mesmo e olhou a escuridão à sua volta. Logo descobriu que não podia mais se mexer nem um pouco. Não se admirou com o fato, antes pareceu-lhe pouco natural que até então tivesse conseguido se mover com tanta facilidade, tendo perninhas tão finas. Quanto ao resto, ele até se sentia relativamente confortável. Ainda tinha dores pelo corpo todo, mas parecia-lhe que elas pouco a pouco iam se tornando mais fracas e ao fim desapareceriam por completo. A maçã podre em suas costas, assim como a região inflamada em volta dela, que estava inteiramente coberta por uma poeira leve, quase não o incomodava mais. De sua família, ele se recordava com amor e comoção. Sua própria opinião de que deveria desaparecer era, talvez, ainda mais decidida do que a da irmã. Permaneceu nesse estado de reflexões vazias e pacíficas até que o relógio da torre bateu três horas da madrugada. Ainda vivenciou o início do alvorecer geral do dia lá fora, além da janela. Em seguida, sem que ele o quisesse, sua cabeça inclinou-se totalmente para baixo e das suas ventas brotou, fraco, o último suspiro.

Quando a faxineira chegou na manhã seguinte, bem cedo – sua força e sua pressa ao bater todas as portas era tanta, ainda que já tivesse sido pedido a ela várias vezes que procurasse evitá-lo, pois um sono tranquilo se tornava impossível na casa inteira depois de sua chegada –, não encontrou, a princípio, nada de estranho em sua curta e costumeira visita. Pensou que ele estava deitado de propósito assim tão imóvel, e que fazia o papel de ofendido; ela lhe creditava todo o entendimento possível. Por ter trazido casualmente a comprida vassoura na mão, procurou fazer cócegas em Gregor com ela, donde estava, na porta. Quando também isso não deu resultado algum, ela ficou irritada e espetou Gregor um pouco, e só quando o havia empurrado do lugar em que estava sem achar nenhuma resistência é que ficou atenta. Quando reconheceu o verdadeiro estado das coisas, arregalou os olhos, deu um assobio, mas não conseguiu se conter por muito tempo, escancarou a porta do quarto e gritou em voz alta para a escuridão:

– Vejam só isso, a coisa empacotou de vez; ali está, mortinha da silva![55]

O casal Samsa estava sentado sobre a cama, no quarto, ocupado em superar o susto com a chegada da faxineira, antes de chegar a entender o que ela

55. Depois da morte tranquila e reconciliada – quase poética – de Gregor, vem a empregada e, num tom chulo e "girioso", típico de sua classe, anuncia o fato em altos brados. (N.T.)

anunciava. Mas depois disso o senhor e a senhora Samsa,[56] cada um do seu lado, levantaram da cama o mais rápido possível; o senhor Samsa atirou o cobertor sobre os ombros, a senhora Samsa saiu de camisolas mesmo e assim entraram no quarto de Gregor. Nesse meio tempo também havia sido aberta a porta da sala de estar, dentro da qual Grete dormia desde a chegada dos inquilinos; ela estava completamente vestida, como se nem sequer tivesse dormido; também o seu rosto pálido parecia comprová-lo.

– Morto? – disse a senhora Samsa, e ergueu os olhos de modo interrogativo para a faxineira, embora ela própria pudesse avaliar tudo e compreendê-lo mesmo sem a avaliação.

– É o que parece – disse a faxineira, e para comprová-lo empurrou o cadáver de Gregor com a vassoura mais um longo trecho para o lado.

A senhora Samsa esboçou um movimento, como se quisesse reter a vassoura, mas acabou não fazendo nada.

– Pois bem – disse o senhor Samsa –, agora podemos agradecer a Deus.

Ele fez o sinal da cruz e as três mulheres seguiram seu exemplo. Grete, que não desviava os olhos do cadáver, disse:

---

56. Com a morte de Gregor, o narrador muda de perspectiva e volta à pretensa objetividade absoluta. O pai deixa de ser pai passando a ser o senhor Samsa, a mãe vira a senhora Samsa e a irmã passa a ser Grete. Ao mesmo tempo em que mostra um cuidado narrativo extremamente grande, Kafka volta a conceder estatuto familiar às personagens com a volta da normalidade. Tudo aparece expressado também no fato de agora todos virem de braços dados e no carinho anterior da filha com o pai, ao deitar as mãos em seu pescoço, por exemplo. (N.T.)

– Vejam só como ele estava magro. Também já fazia um bom tempo que ele não comia nada. Assim como as comidas entravam, assim mesmo elas saíam.

O corpo de Gregor estava, de fato, completamente chato e seco, e na verdade só agora é que se reconhecia isso, uma vez que ele não se encontrava mais levantado sobre as perninhas e nenhum de seus movimentos distraía o olhar.

– Grete, venha cá um instantinho – disse a senhora Samsa com um sorriso melancólico; e Grete, não sem voltar os olhos ao cadáver mais uma vez, foi atrás dos pais até o quarto de dormir. A faxineira trancou a porta e abriu a janela. Embora fosse bem cedo pela manhã, já se misturava alguma mornidão ao ar fresco. Afinal de contas, era final de março.[57]

Os três inquilinos saíram de seu quarto e olharam perplexos em volta, buscando seu café da manhã; haviam se esquecido deles.

– Onde está o café da manhã? – perguntou o senhor do meio, resmungando, à faxineira.

Mas esta pôs o dedo sobre os lábios e em seguida acenou, muda e apressadamente, aos senhores, pedindo se não queriam vir até o quarto de Gregor. Eles foram e, com as mãos nos bolsos de seus casaquinhos um tanto puídos, ficaram parados em volta do cadáver de Gregor, no quarto agora inteiramente claro.

---

57. Em final de março principiam os augúrios da primavera na Europa. O mundo se transforma quando o inverno se vai e o ciclo da natureza – da morte, no inverno, pouco antes do Natal, quando a história começou; e do renascimento, na primavera – fica completo. (N.T.)

Então abriu-se a porta do quarto de dormir e o senhor Samsa apareceu em seu uniforme, trazendo sua mulher num dos braços e sua filha no outro. Todos mostravam ares de choro; Grete de vez em quando apertava seu rosto no braço do pai.

– Deixem imediatamente a minha casa! – disse o senhor Samsa, e apontou a porta, sem largar as mulheres.

– O que o senhor está querendo dizer com isso? – disse o senhor do meio, algo consternado, e sorriu com doçura. Os outros dois mantiveram as mãos às costas e esfregavam-nas sem parar uma à outra, como se estivessem a esperar, alegres, uma grande briga, que com certeza haveria de terminar com vantagens para eles.

– Estou querendo dizer exatamente aquilo que afirmei – respondeu o senhor Samsa, e marchou em linha cerrada com suas duas acompanhantes sobre o inquilino.

Este ficou parado no mesmo lugar a princípio, olhando para o chão, como se as coisas em sua cabeça se juntassem buscando uma nova ordem.

– Pois então nós vamos – disse o inquilino, e levantou os olhos para o senhor Samsa, como se, tomado por um repentino ataque de humildade, estivesse a pedir uma nova licença para a decisão.

O senhor Samsa apenas lhe fez vários acenos breves com a cabeça, de olhos arregalados. Diante disso o inquilino de fato se dirigiu à sala de espera, em largas passadas; seus dois amigos, que já escutavam há um bom tempo com as mãos totalmente imóveis, saltitaram de imediato atrás dele, como se tivessem medo de que o senhor Samsa pudesse entrar na sala de espera antes deles, interrompendo a ligação que mantinham com seu líder. Na sala de espera todos os três apanharam seus chapéus do cabide, puxaram suas bengalas do porta-bengalas, inclinaram-se mudos e deixaram o apartamento. Numa desconfiança que se mostrou de todo infundada, o senhor Samsa foi até o vestíbulo junto com as duas mulheres; apoiados ao corrimão, observaram os três senhores descerem, devagar mas de maneira contínua, a longa escada, desaparecerem a cada andar em uma determinada curva da escadaria e ressurgirem alguns instantes depois; quanto mais desciam, tanto mais diminuía o interesse da família Samsa por eles, e quando um entregador de carne subiu em direção a eles, passando à sua frente, escada acima, com a carga na cabeça em postura altiva, o senhor Samsa abandonou em breve o corrimão, junto das mulheres, e todos voltaram, como que aliviados, ao apartamento.

Decidiram dedicar o dia ao descanso e ao passeio; eles não apenas mereciam aquela folga no trabalho, como necessitavam dela sem falta. E assim os três sentaram-se à mesa e escreveram três cartas de desculpas; o senhor Samsa, à sua direção, no banco; a senhora Samsa, ao seu cliente, e Grete, ao seu patrão, na loja. Enquanto escreviam, entrou a faxineira para dizer que ia embora, pois seu trabalho da manhã havia acabado. Os três que escreviam a princípio apenas inclinaram as cabeças, sem levantar os olhos, e só quando perceberam que a faxineira ainda não queria se afastar, é que eles olharam para ela, irritados.

– E então? – perguntou o senhor Samsa.

A faxineira estava parada na porta, sorridente, como se tivesse uma grande alegria a anunciar à família, mas só estivesse disposta a fazê-lo caso fosse interrogada a fundo por eles. A pequena e quase reta pena de avestruz sobre o seu chapéu, com a qual o senhor Samsa já se irritara durante todo o seu tempo de serviço, balançava levemente em todas as direções.

– Pois bem, o que é que a senhora está querendo? – perguntou a senhora Samsa, pela qual a faxineira ainda demonstrava o maior respeito.

– Ah, sim – respondeu a faxineira, e por causa do riso amável não conseguiu seguir falando logo. – A senhora não precisa se preocupar mais nem um pouco em como se livrar da coisa aí do lado. Já está tudo em ordem.

A senhora Samsa e Grete curvaram-se sobre suas cartas como se quisessem continuar escrevendo; o senhor Samsa, percebendo que a faxineira agora pretendia começar a descrever tudo em detalhes, repeliu a intenção de maneira decidida estendendo a mão à frente. E visto que não tinha permissão para contar nada, ela se lembrou de sua imensa pressa e, obviamente ofendida, exclamou:

– Até logo a todo mundo – e virou-se de modo selvagem, deixando o apartamento em meio a um medonho bater de portas.

– Hoje ao entardecer ela será despedida – disse o senhor Samsa, mas não obteve resposta nem de sua mulher nem de sua filha, pois a faxineira pareceu ter voltado a perturbar a paz que elas mal haviam reconquistado. Elas se levantaram, foram até a janela e lá ficaram, mantendo-se abraçadas. O senhor Samsa virou-se para elas em sua cadeira e contemplou-as em silêncio por um momento. Depois gritou:

– Ora, venham para cá. Parem de pensar no que já passou. E tenham também um pouco de consideração por mim.

As mulheres obedeceram logo, correram até ele, acariciaram-no e terminaram suas cartas com rapidez.

Depois os três deixaram juntos o apartamento, coisa que não faziam há meses, e foram de bonde elétrico para o ar livre no subúrbio da cidade. O bonde, dentro do qual sentavam sós, estava totalmente iluminado pelo sol cálido. Conversaram, recostados de maneira comôda em seus bancos, sobre as perspectivas para o futuro e concluíram que, contempladas mais de perto, elas não eram de modo algum ruins, pois os empregos dos três, sobre os quais na verdade ainda nem haviam falado direito uns aos outros, eram bastante vantajosos e prometiam muito com o tempo. A maior melhora momentânea da situação, no entanto, deveria ser alcançada de um jeito fácil e natural com a mudança de moradia; agora eles queriam um apartamento menor e mais barato, mas melhor localizado e, sobretudo, mais prático do que o atual, que havia sido escolhido ainda por Gregor.

Enquanto assim se entretinham, ocorreu ao senhor e à senhora Samsa, quase de modo simultâneo, ao verem a filha cada vez mais cheia de vida, que ela – apesar de toda a calamidade dos últimos tempos, que havia empalidecido suas faces – havia florescido e se tornado uma moça bela e exuberante. Cada vez mais silenciosos e se entendendo de maneira quase inconsciente, apenas através de olhares, pensaram que já era tempo de procurar um marido decente para ela. E pareceu-lhes uma espécie de confirmação a seus novos sonhos e boas intenções quando, ao chegarem ao destino de sua viagem, a filha foi a primeira a levantar-se, espreguiçando seu corpo jovem.

O VEREDICTO

Uma história para a Senhorita Felice B.[1]

Foi num domingo pela manhã, na mais bela primavera. Georg Bendemann,[2] um jovem comerciante, estava sentado em seu quarto particular no primeiro piso de um dos edifícios mais baixos e simples que se estendiam ao longo do rio formando uma fila, e se diferenciavam apenas pela altura e pela cor. Havia acabado de terminar uma carta a um amigo de juventude, que se encontrava no estrangeiro; fechou-a numa divertida lentidão e olhou, com o cotovelo apoiado sobre a escrivaninha, pela janela em direção ao rio, à ponte e às elevações em seu verde pálido na outra margem.

Ele pensava em como aquele amigo, insatisfeito com sua situação na pátria, já há anos havia literalmente se refugiado na Rússia. Ora gerenciava uma firma em São Petersburgo, que de início havia andado muito bem, mas há tempos parecia ter

---

1. Felice Bauer, uma das noivas do autor. Com ela Kafka manteve vasta correspondência, inclusive comentando de maneira específica suas obras *A metamorfose* e *O veredicto*. Kafka pretendia acrescentar à dedicatória a sentença: "a fim de que ela não receba sempre presentes apenas de outros". (N.T.)

2. O dia em que Kafka escreveu sua história, na noite de 10 de setembro de 1912, também era um domingo. *Georg* tem o mesmo número de letras de *Franz*. *Bende* tem o mesmo número de letras de *Kafka* e mantêm a ordem de consonantes e vogais, repetindo as últimas e trocando as primeiras conforme o nome do autor; *Mann* pode ser visto apenas como um acréscimo. (N.T.)

empacado, conforme o amigo se queixava em suas visitas cada vez mais raras. Assim ele se matava trabalhando em vão no estrangeiro; a barba cerrada e estranha apenas fazia esconder mal o rosto bem conhecido desde os anos da infância, cuja pele de cor amarelada parecia denunciar uma doença progressiva. Conforme contou, não tinha alcançado uma verdadeira ligação com a colônia de seus compatriotas que viviam por lá, mas, do mesmo modo, quase nenhum contato social com as famílias nativas do lugar, de maneira que acabou tendo de se arranjar como celibatário.

O que deveria ser escrito a um homem desses, que visivelmente havia saído dos trilhos, tinha de ser lamentado, mas ao qual não se poderia, em todo caso, ajudar? Será que ele deveria ser aconselhado a voltar para casa, a levar sua vida por aqui, voltar a retomar todas suas velhas relações de amizade – para o que não havia nenhum impedimento – e de resto confiar na ajuda dos amigos? Mas isso não significava nada mais do que lhe dizer, ao mesmo tempo – de maneira mais cuidadosa, mas tanto mais humilhante –, que as tentativas que havia empreendido até agora haviam fracassado, que era necessário enfim pô-las de lado, que devia voltar e deixar que os outros o fitassem pasmos, de olhos esbugalhados, na condição daquele que voltou para sempre; que só os seus amigos entendiam algo e que ele era uma criança idosa, que simplesmente devia se resignar a seguir os amigos exitosos que haviam permanecido na pátria. E será que, ademais, todo aquele flagelo imposto a ele teria algum propósito ao final? Talvez inclusive nem fosse possível trazê-lo de volta para casa – ele mesmo já dissera que não entendia mais o sistema de vida na pátria –, de modo que ao fim se decidiria a ficar, apesar de tudo, em seu estrangeiro, amargurado com as recomendações e afastado ainda mais de seus amigos. Caso seguisse de verdade o conselho e fosse – naturalmente sem intenção, mas devido aos fatos – oprimido por aqui, não se encontrasse bem nem na presença dos amigos nem na ausência deles, sofresse de vergonha, não tivesse mais de fato, a partir de então, nem amigos nem pátria, não era muito melhor para ele – dada a situação – ficar no estrangeiro onde agora estava? Alguém poderia pensar, vistas as circunstâncias, que ele conseguiria seguir em frente de verdade e progredir por aqui?

Devido a isso tudo não se poderia fazer a ele – caso ainda se quisesse manter com ele uma ligação intacta, pelo menos através de cartas – nenhuma notificação mais precisa, como se as faria sem nenhum temor a algum conhecido bem distante. Agora já havia passado mais de três anos que o amigo não voltara à pátria e ele esclarecia o assunto de um modo bastante precário, com a insegurança da situação política na Rússia, que não permitia inclusive a mais curta ausência de um pequeno homem de negócios, ao passo que centenas de milhares de russos andavam tranquilos por aí, no mundo. Mas no decorrer desses três anos havia mudado muita coisa, sobretudo na situação de Georg. Do falecimento da mãe de Georg, acontecido há cerca de dois anos, depois do qual Georg passou a viver com seu velho pai em economia comum, o amigo ainda ficara sabendo; e havia impresso seus pêsames numa carta com uma secura tal que só poderia ter seus motivos no fato de que o luto por um acontecimento semelhante torna-se completamente inimaginável no estrangeiro. Desde aquele tempo, Georg passara a encarar sua firma, bem como o resto de suas coisas, com uma determinação bem maior. Talvez o pai, enquanto a mãe ainda era viva – por querer deixar valer apenas sua própria opinião na firma –, tivesse impedido uma atuação verdadeira da parte dele; talvez o pai, desde a morte da mãe, embora ainda continuasse a trabalhar na firma, tivesse se tornado mais reservado; talvez – o que inclusive era bastante provável – alguns acasos felizes tivessem passado a desempenhar um papel de longe mais importante; em todo caso, no entanto, a firma havia progredido muito, e de um modo totalmente inesperado, nos dois últimos anos; o número de empregados teve de ser duplicado, o faturamento havia aumentado em cinco vezes e sem dúvida estavam diante de um progresso ainda maior.

Mas o amigo não tinha nenhuma noção a respeito dessa mudança. Nos primeiros tempos – e pela última vez naquela carta de pêsames –, ele sempre quis convencer Georg a emigrar para a Rússia, e propagara as boas perspectivas que havia, sobretudo em relação ao ramo de negócios de Georg, em São Petersburgo. As cifras eram desprezíveis se comparadas ao volume de negócios que a firma de Georg de momento efetivava. Mas Georg não tinha nenhuma vontade de escrever a seu amigo acerca de seus sucessos financeiros, e caso o fizesse agora, depois de tanto tempo, a coisa por certo teria um aspecto ainda mais estranho.

De modo que Georg limitou-se sempre a escrever ao amigo sobre fatos sem importância, como aqueles que se ajuntam de maneira desordenada na lembrança quando a gente se põe a pensar numa calma manhã de domingo. Ele não queria nada mais do que deixar intocada a ideia que o amigo parecia ter feito sobre sua cidade natal desde que partira e com a qual se mostrava resignado e satisfeito. Assim, ocorreu a Georg comunicar ao amigo três vezes, em cartas bastante distantes uma da outra, o noivado de um homem qualquer com uma outra moça qualquer, até que enfim, entretanto – e totalmente contra as intenções de Georg –, o amigo passou a se interessar por aquela esquisitice.

Mas Georg preferia lhe escrever a respeito de coisas desse tipo do que confessar que ele mesmo havia noivado há um mês com uma certa senhorita Frieda Brandenfeld,[3] moça de família abastada. Por várias vezes falou com sua noiva a respeito desse amigo e sobre a peculiar troca de correspondências em que se encontrava com ele.

---

3. Em uma de suas cartas a Felice (02.06.1913), Kafka esclareceu que o nome Frieda tinha o mesmo número de letras de Felice e começava com a mesma letra; por outro lado, Frieda remetia à paz (*Fried*: paz em alemão), como Felice referia à felicidade. Quanto aos sobrenomes da personagem e da noiva, referiu que também iniciavam com a mesma letra e que corriam paralelos na medida em que *Bauer* (trabalhador do campo) e *Feld* (campo) possuíam íntima relação. "E algo mais", terminou dizendo, provavelmente se referindo ao Branden, do início, que deriva de *Brand* (queima). (N.T.)

– Então ele sequer virá ao nosso casamento – disse ela –, e mesmo assim eu tenho o direito de conhecer todos os teus amigos.

– Eu não quero incomodá-lo – respondeu Georg –, compreenda-me. Provavelmente ele até viesse, pelo menos é o que eu acredito que aconteceria, mas ele haveria de se sentir obrigado e prejudicado, talvez sentisse inveja e com certeza ficaria insatisfeito e incapaz de vencer algum dia essa insatisfação e voltar sozinho para onde está. Sozinho... Sabes o que significa isso?

– Sim, mas será que ele não pode ficar sabendo de nosso casamento de um outro jeito?

– Isso eu não posso, de qualquer maneira, impedir; mas pelo seu modo de vida isso se torna bastante improvável.

– Se tu tens amigos assim, Georg, não deverias nem ter noivado.

– Sim, isso é culpa de nós dois; mas nem mesmo agora eu queria que fosse diferente.

E quando ela, respirando de maneira sofrêga sob seus beijos, ainda dizia: – Na verdade isso me magoa – ele pensou que na verdade não havia problema nenhum em escrever tudo ao amigo. "É assim que eu sou e assim que ele deve me aceitar", dizia a si mesmo. "Não posso recortar de dentro de mim um homem que talvez fosse mais adequado à amizade com ele do que eu mesmo sou."

E de fato noticiou ao amigo, na longa carta que escreveu naquele domingo pela manhã, o ocorrido noivado com as seguintes palavras: "A maior das novidades eu guardei para o final. Fiquei noivo de uma certa senhorita Frieda Brandenfeld, moça de família abastada, que se estabeleceu por aqui apenas muito tempo depois de tua partida e que portanto mal deves conhecer. Ainda haverei de ter oportunidade de te comunicar mais detalhes a respeito de minha noiva; que por hoje baste a notícia de que estou feliz de verdade e que em nossa relação mútua apenas mudou algo no sentido de que tu, ao invés de encontrar em mim um amigo totalmente comum, haverás de encontrar em mim um amigo feliz.[4] Além disso, terás em minha noiva – que manda te cumprimentar de todo o coração e que em pouco te escreverá ela mesma – uma amiga sincera, o que não deixa de ter algum significado para um celibatário. Sei que há muitas coisas impedindo uma visita tua, mas será que justo o meu casamento não poderia ser a oportunidade exata para jogar num monte, de uma vez por todas, os obstáculos que impedem tua vinda? Mas seja como for, aja sem qualquer tipo de consideração em relação a nós e segue apenas as tuas boas intenções".[5]

---

4. Uma declaração totalmente inversa ao pensamento de Kafka e eminentemente irônica. Pela situação, sabe-se que não é isso que Georg está pensando. Em seus *Diários,* Kafka anotaria depois de ficar sabendo do casamento de Felix Weltsch, um amigo: "É certo que perco Felix através desse casamento. Um amigo casado não é um amigo". Além desta, há várias notas amargas de Kafka em relação ao casamento do amigo – e posterior depositário de suas obras – Max Brod. (N.T.)

5. Ao escrever a carta, Georg parece querer de fato enfrentar o passado (o amigo), coisa que a noiva exige, uma vez que quer a presença do amigo no casamento – supostamente a fim de lhe mostrar que Georg agora pertence em definitivo a ela –; mas se esquiva e chega a atingir a hipocrisia quando diz que o amigo terá na noiva uma "amiga sincera" e quando acaba insinuando ao final que ele não venha mesmo. (N.T.)

Com esta carta na mão, Georg permaneceu por muito tempo, o rosto voltado para a janela, sentado em sua escrivaninha. A um conhecido, que o cumprimentou ao passar pela ruela em frente, ele mal respondeu com um sorriso ausente.

Finalmente enfiou a carta no bolso e saiu de seu quarto atravessando um pequeno corredor que levava ao quarto de seu pai, no qual ele já não havia estado há meses. Ademais não havia obrigação que tornasse o ato necessário, pois ele encontrava seu pai com regularidade na firma, eles almoçavam ao mesmo tempo em um restaurante, ao anoitecer cada um providenciava em separado o que mais lhe agradava, mas na maior parte das vezes – quando Georg, conforme costumava acontecer, não se reunia com amigos ou visitava sua noiva – ficavam sentados juntos mais um instantinho, cada um com seu jornal, na sala de estar comum.

Georg ficou surpreso com a escuridão que fazia no quarto do pai, mesmo naquela manhã ensolarada. A sombra era causada pelo muro alto que se erguia além do pátio estreito. O pai estava sentado junto à janela, em um canto enfeitado com diversas lembranças que recordavam a saudosa mãe, e lia o jornal, que ele segurava de lado ante os olhos, procurando com isso compensar uma fraqueza de visão qualquer. Sobre a mesa estavam deitados os restos de seu café da manhã, do qual não parecia ter consumido muito.

– Ah, Georg! – disse o pai, e foi logo ao seu encontro. Seu pesado pijama abriu-se enquanto caminhava e as pontas tremularam à sua volta. "Meu pai continua sendo um gigante",[6] disse Georg a si mesmo.

– Mas aqui está insuportavelmente escuro – disse ele, então.

– Sim, até que está escuro mesmo – respondeu o pai.

– A janela também deixaste trancada?

– Eu prefiro assim.

– Mas lá fora está tão quente – disse Georg, como se estivesse a concluir a frase precedente, e sentou-se.

O pai tirou os talheres do café da manhã e colocou-os sobre uma cômoda.

– Na verdade eu apenas queria te dizer – prosseguiu Georg, que seguia os movimentos do velho homem, totalmente perdido –, que acabei escrevendo a São Petersburgo, comunicando meu noivado.

Ele puxou a carta um pouco para fora do bolso, mas voltou a deixá-la cair.

– Como assim, a São Petersburgo? – perguntou o pai.

– Ao meu amigo, ora – disse Georg e procurou os olhos do pai. "Na firma", pensou, "ele se mostra bem diferente daqui, onde senta à larga e cruza os braços sobre o peito."

– Sim. Teu amigo – disse o pai, com entonação.

– Tu sabes bem, pai, que primeiramente eu não quis lhe revelar o meu noivado. Por consideração a

---

6. Aqui, o mesmo gigantismo paterno, tão marcante na obra de Kafka. Herrmann Kafka, pai do autor, era, também, muito alto. (N.T.)

ele e por nenhum outro motivo. Tu sabes bem que ele é um homem difícil. Eu dizia a mim mesmo que ele até poderia ficar sabendo através de outra pessoa a respeito de meu noivado, ainda que em seu modo de vida isso seja pouco provável – e isso eu não poderia impedir –, mas de mim mesmo é que ele não ficaria sabendo de nada.

– E agora acabaste ponderando e decidindo de outro jeito? – perguntou o pai, e deitou o grande jornal sobre a borda da janela e sobre o jornal os óculos, que em seguida cobriu com a mão.

– Sim, agora eu voltei a ponderar sobre o assunto. Se ele for de fato meu amigo, disse a mim mesmo, então o meu feliz noivado será uma felicidade também para ele. E por isso não tive mais a menor dúvida em comunicá-lo a ele. Em todo caso, antes de pôr a carta no correio eu queria dizê-lo a ti.

– Georg – disse o pai, e abriu a boca desdentada –, escuta aqui! Tu vieste até mim por causa disso a fim de te aconselhares comigo. Isso sem dúvida te torna honrado. Mas não representa nada, ou é ainda pior do que nada, se tu agora não me disseres a verdade completa a respeito de tudo. Não quero remexer em coisas que não têm nada a ver com o momento. Desde a morte de nossa cara mãe aconteceram certas coisas bastante feias. Talvez também para elas chegue o tempo e talvez chegue antes mesmo que nós pensemos. Na firma me escapam alguns detalhes, que talvez não sejam escondidos a mim – não quero, nem de longe, aventar a hipótese de que eles sejam escondidos a mim –, já não sou mais forte o suficiente, minha memória está cedendo e não tenho mais a visão para dar conta de todos esses assuntos. Isso deve ser creditado primeiro ao caminho natural da natureza e segundo ao fato de que a morte de nossa mãezinha querida me afetou muito mais do que a ti.[7] Mas já que estamos tratando exatamente disso, dessa carta, eu te peço, Georg, não me decepcione. É uma insignificância, não vale sequer o tempo que gastamos, mas não me decepcione. Tens de verdade esse amigo em São Petersburgo?

Georg levantou-se, embaraçado.

– Deixemos meus amigos assim. Mil amigos não seriam capazes de substituir meu pai. Sabes no que acredito? Que não tomas cuidados suficientes em relação a ti. Mas a idade exige seus direitos. Tu és indispensável para mim na firma, disso sabes muito bem, mas caso a firma viesse a ameaçar tua saúde, eu a fecharia amanhã mesmo para sempre. Assim não dá. Nós temos de achar um outro modo de vida para ti. Mas já a partir das coisas mais básicas. Tu sentas aqui, no escuro, e lá fora, na sala, terias uma luz maravilhosa. Dás algumas bicadas no café da manhã ao invés de te alimentares com regularidade e te fortaleceres. Ficas sentado com a janela trancada e o ar te faria tão bem. Não, meu pai! Vou buscar o médico e haveremos de seguir suas recomendações. Haveremos de trocar de quarto, tu te mudarás para o quarto da frente, eu para cá. Não será uma mudança muito grande para ti, todas as tuas coisas serão

7. A narrativa evolui em direção ao veredicto e com esta frase pode-se ver que o pai está em nítido processo de acusação. (N.T.)

mudadas junto. Mas tudo isso tem tempo, agora deita-te um pouco mais à cama, tu necessitas, sem falta, de repouso. Vem, eu te ajudarei a desvestir a roupa e tu haverás de ver que sei fazê-lo muito bem. Ou preferes ir logo para o quarto da frente para deitares na minha cama por enquanto. Isso seria, aliás, bastante razoável.

Georg estava parado bem ao lado de seu pai, que deixara a cabeça de cabelos brancos e desgrenhados afundar sobre o peito.

– Georg – disse o pai baixinho, sem fazer movimento.

Georg ajoelhou-se de imediato ao lado do pai e viu as pupilas no rosto cansado do pai se dirigirem a si, imensamente grandes no canto dos olhos.

– Tu não tens nenhum amigo em São Petersburgo. Foste sempre um brincalhão e não te contiveste nem mesmo em relação a mim. Como poderias ter um amigo justamente lá! Não posso acreditar nem um pouco nisso.

– Pensa mais uma vez, pai – disse Georg, e ergueu o pai da cadeira e tirou-lhe, fraco como ele estava, parado à sua frente, o pijama. – Em pouco terão passado três anos que meu amigo esteve em nossa casa, nos visitando. Ainda me recordo que tu não gostaste dele de maneira particular. Pelo menos duas vezes desmenti sua presença, ainda que justo naquele momento ele estivesse sentado em meu quarto. Eu podia entender muito bem tua antipatia em relação a ele, meu amigo tem lá suas peculiaridades. Mas depois disso tu voltaste logo a te distrair com ele sem nenhum problema. Naquela época eu ainda estava tão orgulhoso pelo fato de que tu o escutavas, concordavas com ele, perguntavas coisas. Se refletires um pouco, tens de te lembrar. Ele contou histórias tão inacreditáveis em sua visita a respeito da revolução russa. Como ele, por exemplo, em sua viagem de negócios a Kiev e em meio a um tumulto de gente, havia visto um sacerdote sobre a sacada de um prédio, que cortou uma larga cruz de sangue em sua mão lisa, levantou a mesma mão e invocou as massas.[8] Tu até mesmo vieste a repetir esta história aqui e ali.

Enquanto isso Georg conseguira fazer com que o pai voltasse a sentar e havia lhe tirado com cuidado as calças de malha assim como as meias. Ao ver as roupas não muito limpas, fez repreensões a si mesmo por ter sido tão negligente nos cuidados em relação ao pai. E com certeza teria sido obrigação sua tomar conta da troca de roupa dele. Ainda não havia discutido ao certo com sua noiva como haveriam de encaminhar o futuro do pai, pois haviam pressuposto em silêncio que ele ficaria sozinho no velho apartamento. Mas agora se decidiu de pronto, e com toda a certeza, a levar o pai junto em sua futura moradia.[9]

---

8. A revolução a qual o texto se refere é a Revolução de Outubro de 1905. Através dela o personagem do amigo ganha uma dimensão universalizante ao reunir em si elementos revolucionários, religiosos e autossacrificantes (cortar a própria mão). Georg, que lhe imputa uma vida de miséria e opõe a vida do amigo à sua própria vida, parece querer livrar-se dessa imagem passada, tornando o amigo ativo apenas pela ausência, pelo celibato, pela doença e pela falta de nome. O amigo representa a perspectiva de vida que ele não escolheu, ao decidir-se pelo sucesso, pelo casamento, pela vida civil. (N.T.)

9. A noção de culpa, que já se fazia suspeita em Georg, torna-se clara através da decisão. (N.T.)

Parecia até, caso se observasse com atenção, que o cuidado que deveria ser tomado em relação ao pai, por lá, poderia chegar demasiado tarde.

Carregou o pai em seus braços até a cama. Teve um pressentimento terrível quando, durante os poucos passos que levavam até o leito, percebeu que o pai brincava com a corrente de seu relógio junto a seu peito. Não pôde deitá-lo logo à cama, tão firme ele se agarrava à corrente do relógio.[10] Mal estava na cama, no entanto, e tudo pareceu estar bem. Ele mesmo se tapou e depois ainda puxou a coberta até bem acima dos ombros. Não olhava para Georg com hostilidade.

– É verdade, não, tu já te lembraste dele? – perguntou Georg e inclinou a cabeça, encorajando-o.

– Estou bem tapado agora? – perguntou o pai, como se não pudesse ver ele mesmo se os seus pés estavam suficientemente tapados.

– De modo que te sentes bem na cama – disse Georg e arrumou as cobertas um pouco melhor sobre ele.

– Estou bem tapado? – perguntou o pai mais uma vez, e parecia estar particularmente atento à resposta.

– Podes ficar tranquilo, tu estás bem tapado.

– Não! – exclamou o pai, fazendo com que a resposta fosse de encontro à pergunta, jogou a coberta para o alto com tal força que ela se disten-

10. A cena, além de refletir o caráter dominante do pai – que brinca com a corrente do relógio como brinca com o próprio filho –, evidencia que o pai não quer largar o filho, não quer separar-se dele numa espécie de segundo parto. (N.T.)

deu inteira por um momento durante o voo, e ficou parado em pé sobre a cama. Apenas mantinha uma das mãos segurando levemente no teto. – Tu querias me tapar, eu sei, minha frutinha, mas tapado eu ainda não estou. E ainda que seja a última força que me resta, ela será suficiente para ti, demasiada para ti. Conheço bem aquele teu amigo.[11] Ele seria um filho segundo os desejos de meu coração. Por isso mesmo é que o enganaste durante todos esses anos. Por que, se não por isso? Pensas que eu não chorei por causa dele? É por causa disso que te trancas no escritório, que ninguém deve te incomodar, o chefe está ocupado... Para que assim possas escrever tuas cartinhas falsas à Rússia. Mas ao pai, por sorte, ninguém precisa ensinar a desmascarar o filho. Agora mesmo achavas que conseguiste dominá-lo, dominá-lo de tal maneira que poderias sentar-te com teu traseiro sobre ele sem que ele sequer pudesse se mover, ao decidir, senhor meu filho, que te casarias!

Georg olhou para a imagem apavorante de seu pai. O amigo de São Petersburgo, a quem o pai de repente conhecia tão bem, apoderou-se dele como nunca antes havia feito. Viu-o perdido na Rússia distante. Viu-o na porta da firma vazia e saqueada. Ainda há pouco estava parado entre as ruínas das

---

11. Tapar com a coberta está em nítida relação a tapar com terra, enterrar. As expressões do velho Bendemann – aqui metamorfoseando-se em gigante sobre a cama, em imagem avassaladora – caracterizam-se por ser chulas. Daí, "frutinha" *(Früchtchen)*, diminutivo que aliás se opõe a seu gigantismo. Em seu papel de juiz e acusador, e usando uma finta jurídica, o pai parece aceitar a "verdade" do filho – a existência do amigo, um reflexo do passado – para poder encaminhar melhor o veredicto. (N.T.)

prateleiras, entre as mercadorias destroçadas, entre as lâmpadas a gás caindo. Porque ele teve de partir para tão longe!

– Mas olhe para mim! – exclamou o pai, e Georg correu, quase distraído, até a cama, a fim de entender melhor tudo; mas estacou no meio do caminho.

– Só porque ela levantou a saia – começou o pai a flautear –, só porque ela levantou a saia, essa anta nojenta – e ele levantou, a fim de representar a cena, seu próprio roupão, e tão alto que se pôde ver a cicatriz de seus anos de guerra na coxa –, só porque ela levantou a saia assim e assim, tu te grudaste a ela;[12] para poderes te satisfazer nela sem seres perturbado, profanaste as lembranças de nossa mãe, traíste teu amigo e enfiaste teu pai na cama, a fim de que ele não pudesse mais se mexer. Mas ele pode ou não pode se mexer, hein?

E levantou-se com toda a liberdade, jogando as pernas para fora da cama. Ele irradiava perspicácia.

Georg estava parado num canto, o mais longe possível do pai. Há um bom tempo havia se decidido terminantemente a observar tudo com a máxima atenção, a fim de não ser surpreendido de algum jeito num volteio, por trás ou talvez por cima. Agora voltava a se recordar da decisão esquecida há muito,

---

12. Anos mais tarde – o que torna evidente o conhecimento de Kafka em relação ao seu pai –, Herrmann Kafka diria ao filho, por ocasião de mais um de seus noivados, dessa vez com Julie Wohryzek: "Provavelmente ela usou uma blusa escolhida com cuidado, assunto do qual as judias de Praga entendem muito". *(Carta ao pai)* (N.T.)

mas logo voltou a esquecê-la assim como se puxa um fio curto através de um buraco de agulha.

– Mas o amigo ainda não foi traído! – exclamou o pai, e seu dedo indicador se movendo para cá e para lá reforçava a afirmação. – Eu era o representante dele aqui no lugar.[13]

– Comediante! – Georg gritou sem lograr se conter; reconheceu imediatamente o dano e mordeu, em todo caso tarde – e arregalando os olhos – a língua, que ele dobrou de dor.

– Sim, certamente desempenho uma comédia! Comédia! Bela palavra! Que outro consolo restaria ao velho e enviuvado pai? Dize – e que para o momento da resposta sejas ainda meu filho vivo – o que me restaria, no meu quarto dos fundos, perseguido por empregados desleais, velho até a medula dos ossos? E meu filho, andando jubiloso pelo mundo, fecha negócios que eu mesmo havia encaminhado,[14] dá cambalhotas de prazer e quer aparecer ante seu pai com a cara amarrada de um homem honrado! Acreditas por acaso que eu não te amei, eu, do qual tu vieste?

"Agora ele se curvará à frente", pensou Georg. "Se ele caísse fulminado!"[15] Essa palavra chispou, atravessando sua cabeça.

---

13. O pai (celibatário depois da morte da mãe) diz-se representante do amigo (celibatário por opção) na acusação ao filho (que quer escapulir ao celibato através do casamento). (N.T.)

14. Mesmo aquilo que o filho pensa ser seu grande mérito, o pai desacredita. (N.T.)

15. Desejo semelhante – apenas mais agressivo – ao de Gregor Samsa em *A metamorfose,* de ver seu chefe tombar da escrivaninha. (N.T.)

O pai curvou-se à frente, mas não caiu. Como Georg não se aproximou conforme ele esperava, voltou a levantar-se.

– Fica onde estás, não preciso de ti! Tu pensas que ainda tens a força para vir até aqui e apenas ficas onde estás porque assim o queres. Que não te enganes nisso! Eu continuo sendo o mais forte. Se estivesse sozinho talvez tivesse de desistir, mas a mãe me deu toda sua força, me uni de modo esplêndido ao teu amigo, e tua clientela eu a trago aqui, no meu bolso!

"Até mesmo no roupão ele tem bolsos!", disse Georg a si mesmo e acreditou poder, com esta observação, tornar-lhe o mundo inteiro impossível. Só o pensou por um instante, pois logo esqueceu de tudo.

– Podes pendurar-te à tua noiva e vir ao meu encontro! Eu a varro do teu lado e tu nem ficarás sabendo como!

Georg fez caretas, como se não acreditasse no que estava ouvindo. O pai apenas inclinou a cabeça para afirmar ainda mais a verdade daquilo que dizia, dirigindo-se ao canto onde Georg estava.

– Como tu me entretiveste hoje, quando vieste e perguntaste se devias ou não escrever a teu amigo comunicando o noivado. Ora, ele sabe de tudo, seu bobalhão, ele sabe de tudo! Eu mesmo lhe escrevi, porque tu havias te esquecido de me arrancar pena e papel. Por isso é que ele não vem há anos, ele sabe de tudo mil vezes melhor do que tu, tuas cartas ele amassava na mão esquerda sem lê-las, enquanto com a direita segurava as minhas cartas ante os olhos!

Ele agitava seu braço ante a cabeça, tanto era o entusiasmo.

– Ele sabe de tudo mil vezes melhor do que tu! – voltou a exclamar.

– Dez mil vezes! – disse Georg para rir-se do pai, mas ainda em sua boca as palavras adquiriram um tom mortalmente sério.[16]

– Já há anos aguardava que viesses até mim com esta pergunta! Acreditas, por acaso, que me preocupo com outra coisa? Acreditas que leio jornais? Aqui, ó! – e ele jogou a Georg uma folha de jornal, que de algum jeito havia levado consigo à cama. Um jornal velho, com um nome que Georg nem conhecia mais.

– Quanto tempo vacilaste, antes de enfim ter amadurecido![17] A mãe teve de morrer, ela não pôde viver o dia da alegria, o amigo vai ao chão em sua Rússia, já há três anos ele estava amarelo a ponto de se poder jogá-lo fora, e eu, tu vês muito bem como me encontro. Para isso tu tens olhos, não é!

– De modo que me preparaste uma cilada! – gritou Georg.

Compassivo, o pai disse à parte:

---

16. Georg parece admitir, aqui, o poder do amigo – do passado – sobre si mesmo através do "representante". (N.T.)

17. A "frutinha" enfim amadureceu. O estágio seguinte é o consumo (e a perda) ou a putrefação (também perda). O pai é uma força original, antiga, lê jornais que Georg nem conhece mais. A escuridão e decadência de seu quarto se opõe a decisão "ensolarada" do filho. (N.T.)

– Isso tu provavelmente já querias ter dito mais cedo. Agora não faz mais o menor sentido.

E mais alto: – Agora tu sabes, pois, o que havia além de ti; até aqui tu sabias apenas a respeito de ti mesmo! No fundo tu foste apenas uma criança inocente, mas mais no fundo ainda foste um homem diabólico! E por isso fique sabendo: eu te condeno à morte por afogamento!

Georg sentiu-se acossado para fora do quarto; o baque causado pelo pai ao desabar sobre a cama atrás dele, ele ainda carregou nos ouvidos antes de sair. Na escadaria, em cujos degraus correu como se estivesse sobre uma superfície inclinada, atropelou sua empregada, que estava querendo subir, a fim de arrumar o apartamento depois da noite.

– Jesus! – ela gritou e cobriu o rosto com o avental; mas ele já havia escapulido dali. Pulou portão afora, por sobre os trilhos de trem em direção à água, para onde aquilo o impelia. Já segurava firme o parapeito da ponte, como um faminto segura o alimento. Saltou por cima dele, como o mais perfeito dos ginastas que havia sido em seus anos de juventude, para orgulho de seus pais. Ainda se segurava com mãos que ficavam cada vez mais fracas, espiou entre as duas barras do parapeito um auto-ônibus, que haveria de abafar com facilidade sua queda, e exclamou baixinho:

– Queridos pais, mas eu sempre amei vocês![18] – e cedeu, caindo.

---

18. Gregor Samsa também pensou com amor na família antes de sucumbir, e também se autossacrificar, ao final d'*A metamorfose*. (N.T.)

Justo naquele instante havia sobre a ponte um fluxo interminável.[19]

19. A ponte é a mesma que Georg contemplava no início da narrativa, olhando para o futuro, para o mundo, através da janela – índice significante na obra de Kafka –, quando o domingo ainda era ensolarado... Brod refere que o autor um dia lhe disse que, na frase final d'*O veredicto*, pensava "numa forte ejaculação". Kafka usa a palavra *Verkehr,* que pode significar, em primeiro lugar, "fluxo" e, em segundo, "relação (sexual)". Optando por "fluxo", temos ambos os sentidos. (N.T.)

Comentário final

Marcelo Backes

As semelhanças entre as duas obras deste volume são imensas. Além dos nomes dos personagens principais – Georg Bende (mann) e Gregor Samsa –, tanto entre os Samsa quanto entre os Bendemann, o pai é comerciante e anula o filho através de sua atividade exitosa. Em ambas as famílias acontece uma reviravolta repentina, dada n'*A metamorfose* pela falência do pai e n'*O veredicto* pela morte da mãe. Em ambas as narrativas aparece vívido o conflito edipiano: o medo, o ódio e o respeito do filho contra um pai poderoso, acrescido do fato de que aquele apenas toma vida ativa depois de este ter sido posto fora de combate (através da falência ou da viuvez).

N'*A metamorfose* o filho morre, o pai expulsa os inquilinos, despede a faxineira (elementos de poder na ordem familiar) e retoma as rédeas da situação. No mesmo sentido, a "normalidade" retorna ao lar e aparece expressa no primeiro elemento exterior à vida familiar depois de muito tempo: a passagem do entregador de carne.

Na cena final o sol volta a brilhar, opondo-se à chuva e ao cinza intermitentes que Gregor via pela janela. O futuro torna a sorrir para a família. Pai, mãe e irmã, para esquecer definitivamente o passado, buscam nova moradia – a antiga ainda havia sido escolhida por Gregor –, apresentando algumas desculpas de ordem prática. A primavera vem e com ela a irmã desabrocha para a vida. Mas a felicidade é amarga e o sol ilusório. Ninguém pode deixar de ver que há – como no velho Machado de Assis – uma gota da baba de Caim em toda essa felicidade presente.

O último desejo de Gregor Samsa antes da metamorfose é levar a irmã ao conservatório. A ele se opõe o desejo final – e vencedor – dos pais, que veem a filha opulenta e querem casá-la, preservando-a na vida prática. O desejo de Gregor reflete não apenas o interesse fraterno no desenvolvimento musical da irmã, mas também a intenção de evitar a aliança carnal e marital através de uma aliança artística.

O desejo de Gregor Samsa n'*A metamorfose* vira impasse vital em Georg Bendemann n'*O veredicto*. Nesta obra fica sintetizada a batalha entre a arte e a vida, que ocorre no interior do próprio Kafka da época e é refletida em seu personagem. Kafka de fato pensava em ficar noivo de Felice Bauer e o conto evidencia – entre outras coisas – o terror que o pensamento lhe causava quando se lembrava do pai. Na *Carta ao pai*, escrita anos mais tarde, tudo fica ainda mais detalhado e desta vez transparente, sem o manto da ficção a cobrir a realidade.

Kafka vive de fato o conflito entre o casamento (a vida) e o ato de escrever (a arte). Já na primeira frase do conto aparece o hino feliz de um celibatário que enfim escapará à solidão através do casamento. Georg fica sentado uma imensidão de tempo à escrivaninha, titubeia, olhando o mundo pela janela – o limite kafkiano onde o mundo do indivíduo termina e começa o mundo do resto do mundo. Quando Georg pergunta à noiva se ela sabe o que significa estar sozinho, o personagem assinala que tem medo de que a "volta" do amigo o atraia de volta à solidão do celibato.

O amigo é o passado de Georg, seu eu artístico, seu parentesco com o próprio autor. O amigo é o ideal kafkiano do celibato, a única condição que permite uma vida intensa de artista e que estava a perigo na própria vida do autor desde que conhecera Felice. O amigo é também "o elo entre o pai e o filho, ele é o grande fator em comum", conforme o próprio Kafka anota em seu diário. O amigo é aquele que vem – do passado remoto e de terras distantes – perturbar a paz interior de Georg.

O desenvolvimento da história vem a mostrar como o pai se coloca aos poucos ao lado do fator comum – do amigo –, tomando a posição de antagonista de Georg e fazendo a vacuidade da ausência temporal e espacial desse amigo virar real realidade e onipresença vigilante. E o gigantismo do pai – que abarca inclusive toda a força do passado e o mito da distância – fortalece o poder de seu veredicto, dando-lhe um caráter totalizante e definitivo. O pai condena porque o filho demorou a amadurecer, demorou a abraçar a vida prática, porque deixou a mãe morrer e o amigo fenecer. De quebra – na medida em que aceita o veredicto –, Georg reconhece que seu noivado foi uma violação não apenas contra si mesmo, mas também contra a memória da mãe, cuja perda o pai acusa não tê-lo atingido tanto. O amigo, representado aos poucos na onipresença onipotente e onisciente do pai, é – nesse sentido e ao final das contas – o tribunal d'*O processo*, o senhor d'*O castelo*: o insondável que condena.

Kafka esquivou-se do casamento por várias vezes, apontando impossibilidades em si e em sua capacidade de vida familiar. A última esquiva é representada no texto do próprio conto e a dedicatória à noiva – no iníco da obra – é, nesse sentido, cruel.

À época da escritura, Kafka havia acabado de ler *O pobre jogador (Der arme Spielmann),* de Franz Grillparzer, grande autor austríaco. Todo o embate entre a arte e a vida, em que um filho também fracassa nos negócios, perde a noiva e acaba virando artista de rua, tocando seu violino, foi importante na configuração do personagem de Kafka. As marcas de *Crime e castigo*, de Dostoiévski, também aparecem, sobretudo no final, em que Raskolnikov, já no castigo da Sibéria, se envergonha por ter ido ao chão de um modo tão cego, tão falto de esperança, calmo e imbecil, devido a uma sentença do cego destino, dizendo que tinha de se curvar e submeter a falta de sentido de um veredicto para alcançar pelo menos um pouco de paz. Afora essas há algumas marcas de histórias pouco conhecidas da tradição judaica como *Kol Nidre* de Abraham Scharkansky, na qual o pai condena a filha à morte, e da obra *Deus, homem e demônio*, de Jakob Gordin, uma história que une as figuras e os destinos de Jó e de Fausto.

O veredicto representa o despertar de Kafka para a literatura, o vagido de um gênio a nascer. É cheio de "eu" kafkiano, mas exibe as marcas da tradição literária que lhe é anterior. É um conto enigmático, maravilhoso e assinala o início factual da literatura do século XX, encaminhado definitivamente pelo autor dois meses mais tarde com *A metamorfose*.

Cronologia Biobibliográfica Resumida de Franz Kafka

1883 – Franz Kafka nasce em 5 de julho, filho mais velho do comerciante Herrmann Kafka (1852-1931) e de sua esposa Julie, nascida Löwy (1856-1934), na cidade de Praga, na Boêmia, que então pertencia ao Império Austro-Húngaro e hoje é capital da República Tcheca. Kafka teve dois irmãos, falecidos pouco depois do nascimento, e três irmãs. São eles: Georg, nascido em 1885 e falecido 15 meses após o nascimento; Heinrich, nascido em 1887 e falecido seis meses após o nascimento; Gabriele, chamada Elli (1889-1941); Valerie, chamada Valli (1890-1942), e Ottilie, a preferida, chamada Ottla (1892-1943).

1889 – Kafka frequenta uma escola alemã para meninos em sua cidade natal até o ano de 1893.

1893 – Inicia o ginásio, concluído no ano de 1901. Escreve algumas obras infantis que são eliminadas logo depois.

1897 – Faz amizade com Rudolf Illowý; toma parte em debates socialistas.

1900 – Passa as férias de verão com seu tio Siegfried, médico rural, em Triesch.

1901 – Faz o exame final do curso secundário e passa suas férias, pela primeira vez sozinho, em Nordeney e Helgoland. No outono principia os estudos na "Universidade Alemã de Praga", começa estudando Química e em seguida passa ao Direito. Faz também alguns seminários de História da Arte.

1902 – Viaja a Munique e pretende continuar lá seus estudos de Germanística, começados no verão do mesmo ano. No semestre de inverno decide prosseguir os estudos de Direito em Praga. Primeiro encontro com Max Brod.

1903 – Kafka tem a sua primeira relação sexual com uma vendedora de loja. A experiência o marcaria – de insegurança – para a vida inteira. Faz a primeira de suas várias visitas a sanatório, em Dresden.

1904 – Lê Marco Aurélio e os diários de Hebbel, escritor alemão do século XIX. Inicia os trabalhos na obra *Descrição de uma luta (Beschreibung eines Kampfes).*

1905 – Volta a visitar um sanatório, desta vez em Zuckmantel, onde vive uma relação com uma mulher bem mais velha, o primeiro amor de sua vida.

1906 – Faz trabalho voluntário num escritório de advocacia. Em 18 de junho é doutorado, recebendo o título *Dr. juris.* No outono faz sua práxis de um ano em dois tribunais. Escreve a obra *Preparativos de casamento no campo (Hochzeitsvorbereitung auf dem Lande).*

1907 – Conhece Hedwig Weiler em Triesch e tenta conseguir-lhe um emprego em Praga. Trabalha na empresa de seguros Assicurazione Generali.

1908 – Primeira publicação. Oito fragmentos de prosa, na revista *Hyperion*, que posteriormente receberiam o título de *Consideração (Betrachtung)*. Em julho passa a trabalhar no emprego que seria, ao mesmo tempo, martírio e motor de produção: o Instituto de Seguros contra Acidentes de Trabalho de Praga.

1910 – Toma parte em vários eventos socialistas. Entra em contato íntimo com uma trupe de atores judaicos, liderada pelo seu amigo Jizchak Löwy. Viaja com Max e Otto Brod a Paris. Continua suas várias viagens de negócio.

1911 – Outra viagem de férias a Paris. Em março participa de algumas das palestras de Karl Kraus. Com o dinheiro do pai, torna-se sócio (inativo) da fábrica de asbesto de seu cunhado Josef Pollak. Visto que Kafka se demonstrara incapaz de dirigir um negócio pessoalmente, tentou fazê-lo participando com o capital. Continua as visitas à trupe de atores de Jizchak Löwy no Hotel Savoy e apaixona-se pela atriz Mania Tschissik.

1912 – O ano capital na vida de Kafka. Viaja com Max Brod a Weimar e conhece de perto o ambiente dos grandes clássicos, Goethe e Schiller. Na visita à casa de Goethe apaixona-se pela filha do zelador. Os oito fragmentos de prosa publicados em revista no ano de 1908 são editados em livro. Nesse mesmo ano Kafka conhece Felice Bauer, com quem trocaria incontáveis cartas. Em setembro escreve *O veredicto (Das Urteil)*, sua primeira obra de importância. Em outubro é tomado, conforme pode-se ver nos *Diários* iniciados quatro anos antes, por pensamentos de suicídio. De 17 de novembro a 7 de dezembro escreve *A metamorfose (Die Verwandlung),* a mais conhecida de suas obras.

1913 – Visita Felice Bauer três vezes em Berlim. É promovido a vice-secretário do Instituto de seguros. Trabalha ferozmente na jardinagem na periferia de Praga para esquecer as atribulações do intelecto. Viaja a várias cidades, entre elas Trieste, Veneza e Verona. Em setembro e outubro tem uma curta relação com uma jovem suíça de dezoito anos no sanatório de Riva. No final do ano conhece Grete Bloch, que viera a Praga para tratar do noivado de Kafka com Felice.

1914 – Continua a visitar Felice e esta vai a Praga. A correspondência com Grete Bloch torna-se cada vez mais íntima. Em 2 de junho acontece o noivado oficial com Felice em Berlim. Kafka mora na casa de suas duas irmãs, primeiro na de Valli, depois na de Elli.

1915 – Muda-se para um quarto e vive sozinho pela primeira vez na vida. Em abril viaja a Hungria com Elli. Kafka recebe o conhecido Prêmio Fontane de literatura, mas suas obras estão longe de fazer sucesso. *A metamorfose* é publicada em livro pelo editor Kurt Wolff. Entre julho e agosto principia a escrever *O processo (Der Prozess)*, sua obra-prima.

1916 – Permanece dez dias com Felice em Marienbad. É publicada sua obra *O veredicto*. Faz leituras públicas de seu livro *Na colônia penal (In der Strafkolonie)* em Munique.

1917 – Começa seus estudos de hebraico. Noiva pela segunda vez com Felice. Adoece de tuberculose. Viaja a Zürau e vive uma vida rural na casa da irmã Ottla, sua preferida. Em dezembro separa-se em definitivo de Felice Bauer, depois de vários conflitos interiores, medos, alertas alucinados feitos à moça e a seus pais em cartas. Kafka, na verdade, procurava afastar a moça de si há anos.

1918 – Volta ao Instituto de Seguros depois de vários meses de férias devido à doença. Já em Praga acaba sendo vítima da gripe hispânica, que grassava pela cidade.

1919 – Conhece Julie Wohryzek na pensão Stüdl em Schelesen e vive mais uma de suas várias relações. Em abril volta a Praga. Noiva com Julie Wohryzek, apesar de não alcançar a aprovação do pai. É publicada *Na colônia penal*. Escreve *Carta ao pai* e enfim estabelece, de maneira concreta, os problemas de relação entre ele e seu pai, indiciados em toda sua obra ficcional. Depois de curta temporada em Schelesen, onde desta vez conhece Minze Eisner, volta a Praga em dezembro.

1920 – É promovido a Secretário da Instituição e seu salário é aumentado. Troca intensa de cartas com sua tradutora para o tcheco, Milena Jesenská. Viaja a Viena, onde Milena reside, e passa quatro dias com ela. Escreve várias narrativas curtas. Termina o noivado com Julie Wohryzek. Escreve um esboço para *O castelo (Das Schloss).* Em dezembro volta ao sanatório em Matliary (Hohe Tatra).

1921 – Continua em Matliary. Faz amizade com Robert Klopstock. No outono volta a Praga. Entrega todos seus diários a Milena.

1922 – Começa a escrever *O castelo*, a mais extensa e mais ambiciosa de suas obras. É promovido a Secretário-geral da Instituição. Escreve *Um artista da fome (Ein Hungerkünstler)*. Aposenta-se devido à doença. Passa alguns meses com Ottla, sua irmã, numa residência de verão em Planá. Kafka avisa a Max Brod que depois de sua morte ele deve destruir todas suas obras.

1923 – Volta a estudar hebraico. Faz planos de mudar-se para a Palestina. Conhece Dora Diamant. Volta a passar dois meses com sua irmã Ottla em Schelesen. Em final de setembro muda-se para Berlim, onde vive com Dora Diamant. Escreve *A construção (Der Bau)*.

1924 – Em março volta a Praga. Escreve sua última narrativa curta, *Josephine, a cantora (Josephine, die Sängerin)*. O pai de Dora Diamant não concorda com um noivado entre a filha e o escritor. A partir de abril vive com Dora e Robert Klopstock no sanatório Hoffmann, em Kierling, onde Kafka vem a falecer dia 3 de junho. É enterrado em Praga. No verão é publicado o volume *Um artista da fome*.

Coleção **L&PM** POCKET

1100.**Hamlet (Mangá)** – Shakespeare
1101.**A arte da guerra (Mangá)** – Sun Tzu
1104.**As melhores histórias da Bíblia (vol.1)** – A. S. Franchini e Carmen Seganfredo
1105.**As melhores histórias da Bíblia (vol.2)** – A. S. Franchini e Carmen Seganfredo
1106.**Psicologia das massas e análise do eu** – Freud
1107.**Guerra Civil Espanhola** – Helen Graham
1108.**A autoestrada do sul e outras histórias** – Julio Cortázar
1109.**O mistério dos sete relógios** – Agatha Christie
1110.**Peanuts: Ninguém gosta de mim... (amor)** – Charles Schulz
1111.**Cadê o bolo?** – Mauricio de Sousa
1112.**O filósofo ignorante** – Voltaire
1113.**Totem e tabu** – Freud
1114.**Filosofia pré-socrática** – Catherine Osborne
1115.**Desejo de status** – Alain de Botton
1118.**Passageiro para Frankfurt** – Agatha Christie
1120.**Kill All Enemies** – Melvin Burgess
1121.**A morte da sra. McGinty** – Agatha Christie
1122.**Revolução Russa** – S. A. Smith
1123.**Até você, Capitu?** – Dalton Trevisan
1124.**O grande Gatsby (Mangá)** – F. S. Fitzgerald
1125.**Assim falou Zaratustra (Mangá)** – Nietzsche
1126. **Peanuts: É para isso que servem os amigos (amizade)** – Charles Schulz
1127(27).**Nietzsche** – Dorian Astor
1128.**Bidu: Hora do banho** – Mauricio de Sousa
1129.**O melhor do Macanudo Taurino** – Santiago
1130.**Radicci 30 anos** – Iotti
1131.**Show de sabores** – J.A. Pinheiro Machado
1132.**O prazer das palavras** – vol. 3 – Cláudio Moreno
1133.**Morte na praia** – Agatha Christie
1134.**O fardo** – Agatha Christie
1135.**Manifesto do Partido Comunista (Mangá)** – Marx & Engels
1136.**A metamorfose (Mangá)** – Franz Kafka
1137.**Por que você não se casou... ainda** – Tracy McMillan
1138.**Textos autobiográficos** – Bukowski
1139.**A importância de ser prudente** – Oscar Wilde
1140.**Sobre a vontade na natureza** – Arthur Schopenhauer
1141.**Dilbert (8)** – Scott Adams
1142.**Entre dois amores** – Agatha Christie
1143.**Cipreste triste** – Agatha Christie
1144.**Alguém viu uma assombração?** – Mauricio de Sousa
1145.**Mandela** – Elleke Boehmer
1146.**Retrato do artista quando jovem** – James Joyce
1147.**Zadig ou o destino** – Voltaire
1148.**O contrato social (Mangá)** – J.-J. Rousseau
1149.**Garfield fenomenal** – Jim Davis
1150.**A queda da América** – Allen Ginsberg
1151.**Música na noite & outros ensaios** – Aldous Huxley
1152.**Poesias inéditas & Poemas dramáticos** – Fernando Pessoa
1153.**Peanuts: Felicidade é...** – Charles M. Schulz
1154.**Mate-me por favor** – Legs McNeil e Gillian McCain
1155.**Assassinato no Expresso Oriente** – Agatha Christie
1156.**Um punhado de centeio** – Agatha Christie
1157.**A interpretação dos sonhos (Mangá)** – Freud
1158.**Peanuts: Você não entende o sentido da vida** – Charles M. Schulz
1159.**A dinastia Rothschild** – Herbert R. Lottman
1160.**A Mansão Hollow** – Agatha Christie
1161.**Nas montanhas da loucura** – H.P. Lovecraft
1162(28).**Napoleão Bonaparte** – Pascale Fautrier
1163.**Um corpo na biblioteca** – Agatha Christie
1164.**Inovação** – Mark Dodgson e David Gann
1165.**O que toda mulher deve saber sobre os homens: a afetividade masculina** – Walter Riso
1166.**O amor está no ar** – Mauricio de Sousa
1167.**Testemunha de acusação & outras histórias** – Agatha Christie
1168.**Etiqueta de bolso** – Celia Ribeiro
1169.**Poesia reunida (volume 3)** – Affonso Romano de Sant'Anna
1170.**Emma** – Jane Austen
1171.**Que seja em segredo** – Ana Miranda
1172.**Garfield sem apetite** – Jim Davis
1173.**Garfield: Foi mal...** – Jim Davis
1174.**Os irmãos Karamázov (Mangá)** – Dostoiévski
1175.**O Pequeno Príncipe** – Antoine de Saint-Exupéry
1176.**Peanuts: Ninguém mais tem o espírito aventureiro** – Charles M. Schulz
1177.**Assim falou Zaratustra** – Nietzsche
1178.**Morte no Nilo** – Agatha Christie
1179.**Ê, soneca boa** – Mauricio de Sousa
1180.**Garfield a todo o vapor** – Jim Davis
1181.**Em busca do tempo perdido (Mangá)** – Proust
1182.**Cai o pano: o último caso de Poirot** – Agatha Christie
1183.**Livro para colorir e relaxar** – Livro 1
1184.**Para colorir sem parar**
1185.**Os elefantes não esquecem** – Agatha Christie
1186.**Teoria da relatividade** – Albert Einstein
1187.**Compêndio da psicanálise** – Freud
1188.**Visões de Gerard** – Jack Kerouac
1189.**Fim de verão** – Mohiro Kitoh
1190.**Procurando diversão** – Mauricio de Sousa
1191.**E não sobrou nenhum e outras peças** – Agatha Christie
1192.**Ansiedade** – Daniel Freeman & Jason Freeman
1193.**Garfield: pausa para o almoço** – Jim Davis
1194.**Contos do dia e da noite** – Guy de Maupassant

1195.**O melhor de Hagar 7** – Dik Browne
1196(29).**Lou Andreas-Salomé** – Dorian Astor
1197(30).**Pasolini** – René de Ceccatty
1198.**O caso do Hotel Bertram** – Agatha Christie
1199.**Crônicas de motel** – Sam Shepard
1200.**Pequena filosofia da paz interior** – Catherine Rambert
1201.**Os sertões** – Euclides da Cunha
1202.**Treze à mesa** – Agatha Christie
1203.**Bíblia** – John Riches
1204.**Anjos** – David Albert Jones
1205.**As tirinhas do Guri de Uruguaiana 1** – Jair Kobe
1206.**Entre aspas (vol.1)** – Fernando Eichenberg
1207.**Escrita** – Andrew Robinson
1208.**O spleen de Paris: pequenos poemas em prosa** – Charles Baudelaire
1209.**Satíricon** – Petrônio
1210.**O avarento** – Molière
1211.**Queimando na água, afogando-se na chama** – Bukowski
1212.**Miscelânea septuagenária: contos e poemas** – Bukowski
1213.**Que filosofar é aprender a morrer e outros ensaios** – Montaigne
1214.**Da amizade e outros ensaios** – Montaigne
1215.**O medo à espreita e outras histórias** – H.P. Lovecraft
1216.**A obra de arte na era de sua reprodutibilidade técnica** – Walter Benjamin
1217.**Sobre a liberdade** – John Stuart Mill
1218.**O segredo de Chimneys** – Agatha Christie
1219.**Morte na rua Hickory** – Agatha Christie
1220.**Ulisses (Mangá)** – James Joyce
1221.**Ateísmo** – Julian Baggini
1222.**Os melhores contos de Katherine Mansfield** – Katherine Mansfield
1223(31).**Martin Luther King** – Alain Foix
1224.**Millôr Definitivo: uma antologia de *A Bíblia do Caos*** – Millôr Fernandes
1225.**O Clube das Terças-Feiras e outras histórias** – Agatha Christie
1226.**Por que sou tão sábio** – Nietzsche
1227.**Sobre a mentira** – Platão
1228.**Sobre a leitura** ***seguido do*** **Depoimento de Céleste Albaret** – Proust
1229.**O homem do terno marrom** – Agatha Christie
1230(32).**Jimi Hendrix** – Franck Médioni
1231.**Amor e amizade e outras histórias** – Jane Austen
1232.**Lady Susan, Os Watson e Sanditon** – Jane Austen
1233.**Uma breve história da ciência** – William Bynum
1234.**Macunaíma: o herói sem nenhum caráter** – Mário de Andrade
1235.**A máquina do tempo** – H.G. Wells
1236.**O homem invisível** – H.G. Wells
1237.**Os 36 estratagemas: manual secreto da arte da guerra** – Anônimo
1238.**A mina de ouro e outras histórias** – Agatha Christie
1239.**Pic** – Jack Kerouac
1240.**O habitante da escuridão e outros contos** – H.P. Lovecraft
1241.**O chamado de Cthulhu e outros contos** – H.P. Lovecraft
1242.**O melhor de Meu reino por um cavalo!** – Edição de Ivan Pinheiro Machado
1243.**A guerra dos mundos** – H.G. Wells
1244.**O caso da criada perfeita e outras histórias** – Agatha Christie
1245.**Morte por afogamento e outras histórias** – Agatha Christie
1246.**Assassinato no Comitê Central** – Manuel Vázquez Montalbán
1247.**O papai é pop** – Marcos Piangers
1248.**O papai é pop 2** – Marcos Piangers
1249.**A mamãe é rock** – Ana Cardoso
1250.**Paris boêmia** – Dan Franck
1251.**Paris libertária** – Dan Franck
1252.**Paris ocupada** – Dan Franck
1253.**Uma anedota infame** – Dostoiévski
1254.**O último dia de um condenado** – Victor Hugo
1255.**Nem só de caviar vive o homem** – J.M. Simmel
1256.**Amanhã é outro dia** – J.M. Simmel
1257.**Mulherzinhas** – Louisa May Alcott
1258.**Reforma Protestante** – Peter Marshall
1259.**História econômica global** – Robert C. Allen
1260(33).**Che Guevara** – Alain Foix
1261.**Câncer** – Nicholas James
1262.**Akhenaton** – Agatha Christie
1263.**Aforismos para a sabedoria de vida** – Arthur Schopenhauer
1264.**Uma história do mundo** – David Coimbra
1265.**Ame e não sofra** – Walter Riso
1266.**Desapegue-se!** – Walter Riso
1267.**Os Sousa: Uma família do barulho** – Mauricio de Sousa
1268.**Nico Demo: O rei da travessura** – Mauricio de Sousa
1269.**Testemunha de acusação e outras peças** – Agatha Christie
1270(34).**Dostoiévski** – Virgil Tanase
1271.**O melhor de Hagar 8** – Dik Browne
1272.**O melhor de Hagar 9** – Dik Browne
1273.**O melhor de Hagar 10** – Dik e Chris Browne
1274.**Considerações sobre o governo representativo** – John Stuart Mill
1275.**O homem Moisés e a religião monoteísta** – Freud
1276.**Inibição, sintoma e medo** – Freud
1277.**Além do princípio de prazer** – Freud
1278.**O direito de dizer não!** – Walter Riso
1279.**A arte de ser flexível** – Walter Riso

1280.**Casados e descasados** – August Strindberg
1281.**Da Terra à Lua** – Júlio Verne
1282.**Minhas galerias e meus pintores** – Kahnweiler
1283.**A arte do romance** – Virginia Woolf
1284.**Teatro completo v. 1: As aves da noite** ***seguido de*** **O visitante** – Hilda Hilst
1285.**Teatro completo v. 2: O verdugo** ***seguido de*** **A morte do patriarca** – Hilda Hilst
1286.**Teatro completo v. 3: O rato no muro** ***seguido de*** **Auto da barca de Camiri** – Hilda Hilst
1287.**Teatro completo v. 4: A empresa** ***seguido de*** **O novo sistema** – Hilda Hilst
1289.**Fora de mim** – Martha Medeiros
1290.**Divã** – Martha Medeiros
1291.**Sobre a genealogia da moral: um escrito polêmico** – Nietzsche
1292.**A consciência de Zeno** – Italo Svevo
1293.**Células-tronco** – Jonathan Slack
1294.**O fim do ciúme e outros contos** – Proust
1295.**A jangada** – Júlio Verne
1296.**A ilha do dr. Moreau** – H.G. Wells
1297.**Ninho de fidalgos** – Ivan Turguêniev
1298.**Jane Eyre** – Charlotte Brontë
1299.**Sobre gatos** – Bukowski
1300.**Sobre o amor** – Bukowski
1301.**Escrever para não enlouquecer** – Bukowski
1302.**222 receitas** – J. A. Pinheiro Machado
1303.**Reinações de Narizinho** – Monteiro Lobato
1304.**O Saci** – Monteiro Lobato
1305.**Memórias da Emília** – Monteiro Lobato
1306.**O Picapau Amarelo** – Monteiro Lobato
1307.**A reforma da Natureza** – Monteiro Lobato
1308.**Fábulas** ***seguido de*** **Histórias diversas** – Monteiro Lobato
1309.**Aventuras de Hans Staden** – Monteiro Lobato
1310.**Peter Pan** – Monteiro Lobato
1311.**Dom Quixote das crianças** – Monteiro Lobato
1312.**O Minotauro** – Monteiro Lobato
1313.**Um quarto só seu** – Virginia Woolf
1314.**Sonetos** – Shakespeare
1315(35).**Thoreau** – Marie Berthoumieu e Laura El Makki
1316.**Teoria da arte** – Cynthia Freeland
1317.**A arte da prudência** – Baltasar Gracián
1318.**O louco** ***seguido de*** **Areia e espuma** – Khalil Gibran
1319.**O profeta** ***seguido de*** **O jardim do profeta** – Khalil Gibran
1320.**Jesus, o Filho do Homem** – Khalil Gibran
1321.**A luta** – Norman Mailer
1322.**Sobre o sofrimento do mundo e outros ensaios** – Schopenhauer
1323.**Epidemiologia** – Rodolfo Sacacci
1324.**Japão moderno** – Christopher Goto-Jones
1325.**A arte da meditação** – Matthieu Ricard
1326.**O adversário secreto** – Agatha Christie
1327.**Pollyanna** – Eleanor H. Porter
1328.**Espelhos** – Eduardo Galeano
1329.**A Vênus das peles** – Sacher-Masoch
1330.**O 18 de brumário de Luís Bonaparte** – Karl Marx
1331.**Um jogo para os vivos** – Patricia Highsmith
1332.**A tristeza pode esperar** – J.J. Camargo
1333.**Vinte poemas de amor e uma canção desesperada** – Pablo Neruda
1334.**Judaísmo** – Norman Solomon
1335.**Esquizofrenia** – Christopher Frith & Eve Johnstone
1336.**Seis personagens em busca de um autor** – Luigi Pirandello
1337.**A Fazenda dos Animais** – George Orwell
1338.**1984** – George Orwell
1339.**Ubu Rei** – Alfred Jarry
1340.**Sobre bêbados e bebidas** – Bukowski
1341.**Tempestade para os vivos e para os mortos** – Bukowski
1342.**Complicado** – Natsume Ono
1343.**Sobre o livre-arbítrio** – Schopenhauer
1344.**Uma breve história da literatura** – John Sutherland
1345.**Você fica tão sozinho às vezes que até faz sentido** – Bukowski
1346.**Um apartamento em Paris** – Guillaume Musso
1347.**Receitas fáceis e saborosas** – José Antonio Pinheiro Machado
1348.**Por que engordamos** – Gary Taubes
1349.**A fabulosa história do hospital** – Jean-Noël Fabiani
1350.**Voo noturno** ***seguido de*** **Terra dos homens** – Antoine de Saint-Exupéry
1351.**Doutor Sax** – Jack Kerouac
1352.**O livro do Tao e da virtude** – Lao-Tsé
1353.**Pista negra** – Antonio Manzini
1354.**A chave de vidro** – Dashiell Hammett
1355.**Martin Eden** – Jack London
1356.**Já te disse adeus, e agora, como te esqueço?** – Walter Riso
1357.**A viagem do descobrimento** – Eduardo Bueno
1358.**Náufragos, traficantes e degredados** – Eduardo Bueno
1359.**Retrato do Brasil** – Paulo Prado
1360.**Maravilhosamente imperfeito, escandalosamente feliz** – Walter Riso
1361.**É...** – Millôr Fernandes
1362.**Duas tábuas e uma paixão** – Millôr Fernandes
1363.**Selma e Sinatra** – Martha Medeiros
1364.**Tudo que eu queria te dizer** – Martha Medeiros
1365.**Várias histórias** – Machado de Assis
1366.**A sabedoria do Padre Brown** – G. K. Chesterton
1367.**Capitães do Brasil** – Eduardo Bueno
1368.**O falcão maltês** – Dashiell Hammett
1369.**A arte de estar com a razão** – Arthur Schopenhauer
1370.**A visão dos vencidos** – Miguel León-Portilla

IMPRESSÃO:

Santa Maria - RS | Fone: (55) 3220.4500
www.graficapallotti.com.br